巨大ヘッジファンドからの投資金目当てに
大手企業・行政が続々参入、
裏切りの愚行！

SDGs洗脳奴隷〈日本人〉に食わせる餌

コオロギ（ゴキブリ近似種）のすべて

All About Crickets

［著］飛鳥昭雄

目次

第1部 もはや自己防衛あるのみ！ 日本人は一度死ないと（⁉）ホロコースト（絶滅政策）の仕掛けが見えてこない‼

第2部

日本人は否も応もなく正神（ヤハウェ）と悪神（ルシフェル）とのとどめの戦いの中心点に放り込まれている！

カバーデザイン　フォーチューンボックス　森瑞
カバーイラスト　源京花
校正　麦秋アートセンター
本文仮名書体　文麗仮名（キャップス）

第1部

もはや自己防衛あるのみ！　日本人は一度死なないと（!?）ホロコースト（絶滅政策）の仕掛けが見えてこない!!

finish blow ①

昆虫食にはビル・ゲイツが投資していた⁉
その旗振り役は、在日の自民党議員!!

コロナ禍が続く全国で「昆虫自動販売機」が増えている……販売されている昆虫は、食べられる昆虫とされ、きれいなアルミ袋に入っている。

昆虫食は、高タンパク、高ミネラル食品と宣伝され、「オメガ3」などの「不飽和脂肪酸」を含む〝高栄養食〟として、低資源、低コストで飼育することができ、メタンガスや二酸化炭素などの温室効果ガスをほとんど発生しないため、地球環境に優しい次世代型食品らしい。

少し前なら下手物だった、サソリ、タガメ、コオロギ、タランチュラ、イモムシ、カブトムシなどの昆虫食が入っていて、タガメが１０００円、クリケットエナジーバー５００円、チョコレートスーパーワーム１０００円……。

徳島県の県立小松島西高校で試験的に「食用コオロギ」の粉末が学校給食として提供されていたが、そもそも昆虫食は「環境への負荷が少ない」「栄養価が高い」「生産・加工がしやすい」などのメリットがあるとされ、〝食糧危機の救世主〟として注目されているらしいが、一部の支持者を除いて抵抗が強い。

「気持ち悪い」「まっぴらごめん」の一方で、「海老に似て美味しい」と言う人もいるが、そもそも虫が口の中に入っていると思っただけで耐えられない人は、「粉末にしたからといって虫を食べているという抵抗感は消えない」「子供が可哀想」「今の学生じゃなくて良かった」等、「昆虫食」を頑として受けつけない人が多いのは確かである。

また、「昆虫食」にそれほど抵抗はないものの、現時点では「昆虫食」の価格は高く、昆虫を大量飼育するシステムも確立されていないため、「普及するのは無理だろう」とする声もあり、「現行の農耕牧畜をより生産的にする方が大切」と、ほとんどの人は前向きではないようだ。

その一方で、降って湧いたように大手メーカーが続々と「コオロギパウダー食品」の開発に乗り出す意向を発表、「環境保護」「エコビジネス」「ＳＤＧｓ／飢餓ゼロ」「未来志向」の言葉が躍る中、ＥＵ先進国では既に始まっているので日本も遅れてはならないと煽っている。

その旗振りは、やはりというか在日支配の「自民党」で、その中でもセクシー発言で知られる環境推進派の在日・小泉（朴）進次郎である。

小泉（朴）進次郎の背後には指定暴力団「●●会」がいて、毎回、「衆議院選挙」を有利に展開して当選を繰り返している。

（元）総理大臣の小泉（朴）純一郎の息子で、在日の朴家は選挙対策本部長の竹内清とは神奈川県議会議長時代からの付き合いで、竹内自身は●●会横須賀一家の系列組員である。

指定暴力団とズブズブの関係でも、在日が多く住む神奈川11区の選挙区では、毎回の「衆議院選挙」で常勝し国政に乗り込んでくる。

小泉（朴）進次郎の祖父・朴純也は、鹿児島県加世田大字小湊の「朝●部●」出身で、地元の名士で根津財閥の大番頭の鮫島宗一郎の鮫島姓を「通名制度」で勝手に名乗った後、上京して暴力団の小泉又次郎の娘の芳江と結婚、小泉姓を名乗って二重のロンダリングで朝鮮名を消して日本人に化けた。

その後、旧民政党系の「岸要蔵（本名：李要蔵）」の末裔で、ダグラス・マッカーサーの指示で「GHQ（連合国最高司令官総司令部）」に拾われた岸信介と関わる「新日本政治経済調査会」に参加、その後、CIAが興した「自民党」に入り「党総務」「副幹事長」などを歴任、「在日朝鮮人の帰国協力会」の代表委員に就任すると、「在日朝鮮人帰還事業」で辣腕を振るった。

李(リ)要蔵の一族の岸信介の弟の佐藤栄作内閣では「防衛庁長官」にまで上り詰め、「太平洋戦争」で東京大空襲と原爆投下に深く関係したカーチス・ルメイに、日本に貢献した感謝で「勲一等旭日大綬章」を与え、アメリカからの個人的評価を一気に高める。

その朴純也が暴力団関連で親交を深めたのが「●●会」だが、急死した朴純也の選挙区を引き継いだ純一郎も「●●会」の支援で政界入りし、さらに息子の進次郎を連れ「●●会」大幹部宅に挨拶に赴いた際、写真週刊誌「フライデー」（２００４年７月号）に盗撮されている。

その小泉（朴）純一郎の「自民党をぶっ壊す!!」発言は、「自民党の日本人勢力をぶっ潰す!!」意味で、地方の在日で形成される膨大な数の「自民党員」の圧倒的支持を受けるが、「統一教会」が全面協力していたことは容易に想像できる。

在日シンジケートは、東京港区の「アメリカ大使館（極東ＣＩＡ本部）」の指示で動いており、アメリカ式の派手な「劇場型選挙」も、裏で「ＣＩＡ」が「ＷＧＩＰ／War Guilt Information Program（戦争についての罪悪感を日本人の心に植え付けるための宣伝計画）」でのし上がった在日勢力が支配するＴＶ局を動かしていた。

小泉（朴）純一郎に逆らう日本の族議員、官僚、郵政関連団体、野党、マスメディアを全て「抵抗勢力」と一括(くく)りにした純一郎は、「郵政民営化」に反対する族議員に在日の落下傘候補を次々と送り込んだ。

その一人が東京都知事の緑の狸（小池百合子）で、その緑の狸も3代前に溯ると素性が怪しくなる。

結果的に日本人の財産「郵便貯金」「簡保生命」の350兆円が小泉改革でアメリカの「ヘッジファンド」に解放、莫大な資金を上下させるだけで天文学的利益をアメリカにもたらした。

その（朴）一族の進次郎が、唐突に「昆虫食」の旗振りを始めるのは、父親の純一郎同様、アメリカの紐付きであることは間違いなく、案の定、ビル・ゲイツが「昆虫食」に投資していたことが判明した。

finish blow ②

郵貯と簡保を禿鷹ファンドに献上した小泉家は、在日特権でのし上がった一族!?

新型コロナ後、日本人に「昆虫食」を植え付ける役目が自民党の小泉（朴）進次郎のようで、祖父の自民党国会議員・小泉（朴）純也、父の小泉（朴）純一郎と一緒で、東京港区の「アメリカ大使館（極東CIA本部）」の〝駒〟として動いている。

祖父から「WGIP／War Guilt Information Program（戦争についての罪悪感を日本人の心に植え付けるための宣伝計画）」の恩恵を受ける在日特権でのし上がった一族だ。

小泉（朴）進次郎の父の小泉（朴）純一郎は、中央では日本人族議員が固めているので勝てないため、地方を牛耳る「統一教会」の力で地方からの反転攻勢で総裁選挙に圧勝、「アメリカ大使館（極東CIA本部）」の指示通り「郵政民営化」を実行に移す。

それまでの「郵便局」は、ロスチャイルドが支配する「国際金融ピラミッド構造」に加わらなかったため、「郵便貯金」の牙城を似非経済学者の竹中平蔵と組み、〝民営化〟の美名で破壊し、日本人の「郵貯230兆円」と「簡保120兆円」をアメリカの禿鷹ファンドに提供した。

当時の日本人は「郵政民営化」などサッパリ分からなかったが、「自民党をぶっ壊す!!」のワンフレーズだけで自民党に入れた者が多かった。

この時使われたのが、「アメリカ大使館（極東CIA本部）」によるアメリカ式〝劇場型選挙〟で、この時の大成功を受けたCIAは、2020年の幼児が感染しても平気な「新型コロナウイルス（ＣＯＶＩＤ－19）」を、イギリス豪華クルーズ客船「ダイヤモンド・プリンセス号」の３カ月横浜大公演で、ＴＶを介して日本人を完全に洗脳した。

小泉劇場の時も、ほとんどの日本人には全く馴染みがなかった選挙方法で、在日が支配するＴＶ局の韓流ドラマ顔負けの演出効果が功を奏し、有権者たちは面白いというだけで投票場に駆け付けた。

当時のアメリカ政府の目的は、日銀による「バブル崩壊劇」の次の段階となる「日本人の郵貯と簡保の総額３５０兆円」を「郵政民営化」の美名でロスチャイルドの「国際金融ピラミッド構造」に開放させ、ロックフェラーが支配する禿鷹ファンドの餌食にすることだった。

実際、投票場に走った有権者による大勝利で、日本人の総額３５０兆円がアメリカに還流、その年の最高収益をアメリカのヘッジファンドにもたらした。

その後、鎧（よろい）をなくした「簡保」に外資が一斉に襲い掛かり、在日が大量に送り込まれた結果、多くの老人が騙される「簡保詐欺」が行われる羽目に陥っていく…

馬鹿な話でアメリカでは郵便事業は「国営」のまま保護され、朴（パク）純一郎がやった「民営化」など許しておらず、朴により消滅した貯金総額は２０２１年度で４５７億円、民営化後の累計で約２０００億円にのぼる。

朴一族によって「ユウチョマネー」だけで２２０兆円が既に消え去り、満期から約20年が過ぎた「定額貯金」は、〝貯金者〟が権利を失った郵政民営化前の郵便貯金が、２０２１年度に４５７億円と過去最高額に上り、在日自民党を介して最終的に日本人がビル・ゲイツ製母型の「ゲノム遺伝子操作溶液」接種で全員が死亡するため、日本企業の海外資産を含め、全額がアメリカに渡る仕組みになっている。

この朴一族が、「昆虫食」「コオロギ食」を勧める以上、小泉（朴）進次郎の背後に「アメリカ大使館（極東ＣＩＡ本部）」がいることは間違いなく、そのアメリカの背後に自民党本部を何度も訪れるビル・ゲイツがいて、その背後にアメリカ連邦政府、金融機関、産業界、軍産複合体を牛耳る「ＤＳ／Deep State（ディープステート）」がいて、ロックフェラーがいる仕掛けである。

もちろん、その上に君臨するのが「イルミナティ【後期】／Illuminati（Late-day）」の支配者ロスチャイルドであることは言うまでもない!!

そんな中、在日支配の自民党の小泉（朴）進次郎が、自ら虫を頬張りながらピースサインをするセクシーパフォーマンスは、柳の下の２匹目のドジョウを狙うかのようだ。

finish blow ③

ゴキブリ（コオロギ）食の裏で日本の酪農潰し！これが日本人を追い込むビル・ゲイツの策謀だ!!

「キュウリュウゴミムシダマシ」、別名「九龍虫」が、漢方の強精剤と珍重され、健康にいい虫とされて戦前の１９３６年に大フィバー、戦後の１９５０年代にもブームが再来、さらに１９６５年にもブームが起きた。

１９６５年の再々ブームの切っ掛けは、エチオピアのマラソンランナーのアベベ・ビキラが、毎日、九龍虫を食べて「東京オリンピック」（１９６４年）で金メダルを獲得したという噂を信じた人が多かったからとされる。

「昆虫食」は日本でも昔から長野県諏訪発祥の「イナゴ食」が有名で、諏訪の地元では今も「ソフトクリーム」「飴」「おやき」にイナゴを添え、「諏訪湖観光汽船」の名物として販売している。

ヤ・ウマト的に言えば、『聖書』にイナゴは度々登場する馴染み深い昆虫で、モーセの時代にも登場する……

「もし、あなたがわたしの民を去らせることを拒み続けるならば、明日、わたしはあなたの領土にいなごを送り込む。いなごは地表を覆い尽くし、地面を見ることもできなくなる。そして、雹の害を免れた残りのものを食い荒らし、野に生えているすべての木を食い尽くす。」（『旧約聖書』「出エジプト記」第10章4～5節）

そのイナゴを食べていたのがイエス・キリストの時代の預言者バプテスマのヨハネだった。

「ヨハネは、らくだの毛衣を着、腰に革の帯を締め、いなごと野蜜を食べ物としていた。」（『新約聖書』「マタイによる福音書」第3章4節）

このことから、『聖書』で食べていい昆虫はイナゴだけで、イナゴが美味しいのは米を食べる「稲子」だからで、麦や米を食べる害虫であるため、日本でも害虫退治で取れたイナゴを食べる習慣ができたとされる。

イナゴと似ているのがバッタだが、狭い範囲で密集した際に現れるイナゴの変異種とされ、遠方を飛べるよう大型化したため、古代エジプトを襲ったのは群生相の「バッタ（locust）」となり、2020年2月にソマリアで発生した「サバクトビバッタ」の大被害は、1平方キロ4000万匹以上が群れ、1日に3万5000人分の穀物を食べ尽くしたとされる。

一方、バプテスマのヨハネが食べたのが「イナゴ（grasshopper）」で、日本では空を覆う群は発生しないので食べられるイナゴとなる。

ヤ・ゥマト（ヤハウェの民：ヘブライ語）として、『聖書』で食べることを許された昆虫はイナゴのみで、他の昆虫はゴキブリを含めて食べることは許されていない。

ゴキブリというと顔を顰（しか）める人がほとんどだが、EU諸国で流行っている「昆虫食」用のコオロギは、最近までゴキブリと同じ「直翅目ゴキブリ亜目」だったが、突然コオロギが「直翅目」に、ゴキブリが「網翅目」に分けられた。

自民党は日本人にゴキブリ（コオロギ）を食べさせたいようで、2022年2月19日、河野太郎デジタル大臣も、徳島県発ベンチャー企業発表会で、コオロギエキスと塩コショウで味付けした「乾燥コオロギ」を試食し、「おいしかった。抵抗なく、あっさり!!」とコメントしている。

SNSで「コオロギ太郎」と揶揄されて炎上したため、河野太郎大臣は火消しに必死で、そういえば、特撮邦画『ゼイラム』（1991年）で、ヒロインのイリアの乳白色の巨大ゴキブリの携行食を、脇役が間違って食べるシーンがあったが、これは南米に実在する「トラペゾイデウスドクロゴキブリ」と思われる。

2013年、国連の「FAO／Food and Agriculture Organization of the United Nations（食糧農業機関）」が、「2050年に世界人口は90億人に達すると予測され、温暖化による異常気象が顕在化する中、温室効果ガスの発生を抑え、地球への負荷の少ない食料として昆虫食が優れている!!」と表明、食糧危機の解決策として「昆虫食」を推奨したことから、日本をはじめ世界各国が食糧危機解決策の一つとして「昆虫食」の推進を始めるようになる。

特に流行りの「SDGs（持続可能な開発目標）」とマッチし、食用や飼料に要するコスト（餌代、水、エネルギー代）が、食肉や農産物より有利とし、地球環境を救う目的で世界人口を5億人に減らすビル・ゲイツが積極的に資金を出している。

イナゴもコオロギも高タンパク質低脂肪で、カルシウム、マグネシウム、リン、銅、亜鉛などミネラル分を豊富に含む。「昆虫食」は、タンパク質に加えて、体に良い不飽和脂肪酸を多く含むため、女性のダイエット食に最適とされ、日本では女性が「昆虫食」に飛びついている。

地球は「虫の惑星」といわれるほど、数では人類など話にならず、日本だけでも10万種類を超える昆虫が生存するが、体内に雑菌が多いため、やたら食べるのは危険とされる。

参議院議員の須藤元気は、「コオロギ食は2018年に内閣府食品安全委員会で危険性を記載していました。政府はコオロギではなく、現在、大量廃棄している牛乳やおからに予算を使い有効活用していくべき」と語る。

実際、自民党と農水省は「牛乳を増産するためなら補助金を出す」としながら、「ウクライナ侵攻」に対するロシア制裁による原油高騰に伴う牛乳余りに対し、「牛乳の買い上げ」「輸入の停止」「赤字の補塡」を遣らねばならないはずが、手の平返しで「牛乳を搾るな」「牛を処分すれば一頭あたり15万円支払う」と呼びかけ、結果として日本の酪農は経営が行き詰まってしまった。

老害バイデンに従っても何のメリットもなく、安いロシア産小麦やトウモロコシも購入できず、アメリカだけが得をするコスト高で苦しむ酪農家をさらに追い込み、子牛が500円でも売れない異常事態は、牛乳の生産基盤を削ぎ落とし、将来的にアメリカから全てを輸入せざるを得ない国を目指しているとしか思えない。

その時のために口を開けて待っているのがビル・ゲイツ推奨の「昆虫食」で、自民党の「ゴキブリ（コオロギ）昆虫食」も、その時のために水面下で確実に推し進められている……

finish blow ④

家畜に代わる新しい動物性タンパク質源!?
国連のお墨付き「コオロギ（ゴキブリ）食と日本人ホロコーストの関係は深い!?

「エコロジー」「スマートホーム」「パーパス」「コンプライアンス」「サステイナビリティ」「プレゼンテーション」「フィードバック」「ボーダーレス」など、グローバル化を主流とする現代日本人は、横文字なら国際化の証拠としてスグに信じ込む傾向がある。

いい例が、子供が感染してもほとんど平気な「新型コロナ（ＣＯＶＩＤ－19）症候群」の標語で、「クラスター」「パンデミック」「オーバーシュート」「ロックダウン」「スティホーム」「ソーシャルディスタンス」「アウトブレイク」「ブレークスルー」「ボトックス」「エクソーム」など……結局、日本人の多くは子供風邪に恐怖してパニックに陥り、ビル・ゲイツ製母型（ＣＯＶＩＤ－19）からゲノム遺伝子操作した〝遅延死溶液〟を我先に接種する羽目に陥った。

今回の「コオロギ（ゴキブリ）食」も同様で、「WHO（世界保健機関）」ならぬ「FAO（国連食糧農業機関）」のお墨付きが日本人の心をくすぐっている。

何度も言うが、「コオロギ」は「ゴキブリ」と同じ「昆虫綱直翅目」までが同種の近縁種で、だから昔のトイレ付近の湿った処が好きで体も黒茶系でテカテカしている。

実は「昆虫食」どころか「コオロギ（ゴキブリ）食」が日本でトレンド入りしたのは、ほとんど無害の「新型コロナ（COVID－19）」が日本中でパニックを起こした2020年で、その年の日本経済新聞社系列（日経BP）発行の『日経トレンディ』（2020年12月号）に、「2021年ヒット予測ランキング」があり、そこで堂々5位に選ばれたのが「コオロギフード」だった!!

そこに、「2021年はコオロギに大注目!!」「環境に優しく高タンパク!!」「高栄養価で注目を集めている!!」の絶賛コメントが付き、関連記事にも長澤まさみが「コオロギラーメンが好き!!」「味はエビみたい!!」と煽っている。

この『日経トレンディ』の記事は「コオロギ食」が2018年から始まったとし、それどころか2018年には既に工場までできて生産が始まっていたとある。

それが「株式会社BugMo」で、創業者はアフリカのウガンダで食育インターンをし、現地でタンパク質を含む昆虫を食育に使うことを思いつき、帰国後、昆虫の美味しさや環境に優しい特性を知ってもらうつもりで起業したという。

また、記事では「コオロギブーム（既にブームと記している）」の火付け役を、無印良品「株式会社良品計画」の「コオロギせんべい」とし、発売に至った経緯を、昆虫食先進国フィンランドで情報収集し、昆虫食研究で名高い「徳島大学」と一緒に協業、「コオロギ食材」を開発することにしたとある。

日本国内の食用コオロギ生産量トップが、「徳島大学」のベンチャー「グリラス」で、２０２２年2月28日の段階で2億９０００万円を資金調達し、出資者は、既存株主でもあるスタートアップ投資会社「Beyond Next Ventures（ビヨンド・ネクスト・ベンチャーズ）」「ＨＯＸＩＮ（ホクシン）」に加え、新たに「いよぎんキャピタル」「近鉄ベンチャーパートナーズ」「食の未来ファンド」「地域とトモニファンド」も一斉に参入したという。

わずか1～2年で「食用コオロギ」のニーズが日本中で高まり、生産が追いつかなかったため、今回の資金を活用し、２０２３年末までに生産能力を約6倍に増強するとする。

これは背後に「霞が関」と「自民党」がいて、「産学協働」の協力体制ができていることは確実で、２０２０年12月のシリーズAラウンドで調達した2億３０００万円と合わせ、「グリラス」の累計調達額は約5億２０００万円に膨らみ、公開情報ベースの昆虫食関連企業の資金調達額として国内最大の規模となり、コロナ禍に隠れて見えなかったが、いつの間にか飛ぶ鳥を落とす勢いとなった。

無印良品の「コオロギせんべい」「コオロギチョコ」に、「グリラス」が開発し生産した「コオロギパウダー」が使われ、噂では大手チョコレート・メーカーも乗り出す構えという。

２０２３年4月17日、カンボジア産コオロギパウダーを使ったチョコレート「ecoco」が、若者の街の原宿「imperfect 表参道店」で期間限定販売されたが、「imperfect 株式会社」が推進する〝Do well by doing good.〟の活動に賛同した「日新化工株式会社」が製菓原料で開発した「サステナブルチョコレートダークカカオ70%」が使用されていた。

このチョコレートの売上の一部が、ガーナのカカオ農家を救う2つのプロジェクト「キャッサバを通じて女性たちが平等に活躍できる社会を!!」「カカオの森と生態系を守ろう!!」の活動資金に充てられるという人の心を打つ仕掛けになっている。

なぜ「コオロギ（ゴキブリ）食」が簡単に日本人の心の壁を突破したかというと、

「FAO（国連食糧農業機関）」が発表した「食用昆虫類：未来の食糧と飼料への展望」があるからで、そこに家畜に代わる新しい動物性タンパク源として、食用昆虫の利用が注目されていることから、いわば「国連」のお墨付きを得た水戸黄門の印籠だからである!!。

その背後にはもちろん、世界を遅延死ワクチンへ誘導したビル・ゲイツがいて、その背後にはロックフェラー、ロスチャイルドの「グレートリセット（Great Reset）」があり、今の世界人口80億4500万人（2023年4月）を5億にまで減らす「ホロコースト（大量虐殺）」が進行中で、にもかかわらず、矛盾する「食糧危機」を煽る理由は何か別の目的があるからだ!!

日本では、自民党のセクシー小泉（朴）進次郎が、「日本は昆虫食に対する偏見、忌避心理（フード・ネオフォビア）でいう世界の後進国だ。世界に負けないようにセクシーに受け入れよう!!」と、そのうちに言いそうだ。

finish blow ⑤

ゲノム操作したビル・ゲイツの〝遅延死溶液〟接種を易々と受け入れた日本人は、ゴキブリ食も簡単に受け入れるはずだったが!?

２０１３年、国連の「ＦＡＯ（食糧農業機関）」が「２０５０年に世界人口は90億人に達すると予測され、温暖化による異常気象が顕在化する中、温室効果ガスの発生を抑え、地球への負荷の少ない食料として昆虫食が優れている!!」と表明した。

２０１８年、「ＥＵ（欧州連合）」が食用昆虫を食品として承認、これを機にベンチャーの参入が活発化するなどサプライヤーが増加、２０２５年には世界の「昆虫食市場」が１０００億円規模になると予測、日本の経済界もこの流れに遅れまいと「コオロギ（ゴキブリ）食」に積極的に乗り出し始める。

「コオロギ（ゴキブリ）食」は食料危機を解決する有力な「タンパク質源」であるばかりか、地球環境に優しい「エコロジー」で、CO_2など「温室効果ガス」の排出量や飼育に必要な「水」「餌」の量が、「牛」「豚」「鶏」「羊」と比べて圧倒的に少ない点が「気候変動対策」や「ＳＤＧｓ」の観点から優れているとする。

徳島県の産学協働ベンチャー企業「グリラス」を、コオロギの食用化研究を行う「徳島大学：大学院社会産業理工学研究部」の渡邉崇人助教らが設立、鳴門市内の自社農場でコオロギを飼育し「乾燥コオロギ」「コオロギパウダー」を販売する。

「コオロギ食」への世界的流れは、「ＦＡＯ（食糧農業機関）」「ＥＵ（欧州連合）」の承認が大きく、「グリラス」は日本経済界の「昆虫食」への注目の高まりから、飼育経験で培ったノウハウで他社の飼育管理を支援するサービスにも乗り出し、植物工場を運営する埼玉県嵐山町の「太陽グリーンエナジー」とコンサルティング契約を結び、コロナ・パニックに隠れる形で一気に事業を拡大させた。

これから「グリラス」は、「自動飼育システム」を充実させて大量生産を図る勢いで、生産量は現在の月約30キロから、２０２３年には支援先の企業も含めて月10トン以上を目指す方針を明らかにした。

その流れを受けて自民党のセクシー小泉（朴）進次郎とコオロギ太郎（河野太郎）が、あざとく出てきたことになる。

「グリラス」の岡部慎司取締役ＣＯＯは「一時的なブームで終わらせず、昆虫食を定着させ、品質の高い日本産の食糧を世界へ広げていきたい」と話し、国際的な流れを最大限に利用し、徳島県小松島市の「県立小松島西高校」で、コオロギをパウダー状にした粉を使った「かぼちゃコロッケ」を、調理師を目指す生徒らに作らせ、給食として同じ生徒たちに食べさせたのだろう。

これが「グリラス」による給食提供国内初で、校長は生徒による調理と食事の様子を報道陣に公開、虫に抵抗がある生徒や教職員に食べるか否かを選択制にしたという。

小松島西高等学校家庭科長で食物科長の多田加奈子教諭は、「最初は生徒が環境問題を考えるきっかけになればと、意外性の強い食材として食用コオロギの導入を進めましたが、今日に至る取り組みの中でその食材としての可能性を確信することとなりました!!」とコオロギ食を認めた。

ところが、コオロギと近似種の「ゴキブリ」は同じ食性で、死骸、腐肉、小昆虫などの雑食を好んで食べ、ゴキブリと同じ共食いもするため、体内に雑菌や微毒を含むことが多く、「漢方」でも妊婦に禁忌として、コオロギ（ゴキブリ）は先人も食べさせなかった代物だ。

衛生的な工場内なので大丈夫ではなく、コオロギ（ゴキブリ）は仲間の死骸を喰う昆虫で、病気で死んだ仲間の肉を食べない保証はどこにもない。

県内ベンチャーの起業を応援したい地元のTV局は、2022年11月28日、事前の打ち合わせ通り「県立小松島西高校」のコオロギ給食を取材し、「学校給食にコオロギが導入されたのは日本初!!」「食糧問題を考える契機に!!」が受けてそれほどの騒ぎにならなかったが、２０２３年2月末にも「コオロギエキス」の給食をＴＶで流してから大変な事態となる。

「なぜ子供の給食でなければいけないのか!!」「未熟な子供に選択させるのはおかしいだろう!!」「アレルギーを考慮しなかったのか!!」の批判が高校に殺到し、コオロギ給食は中止に追い込まれた。

「ＦＡＯ」に莫大な金額を援助するビル・ゲイツは、簡単に日本人がゲノム溶液を接種する光景に満足したはずだが、食べ物に関しては異常なほど慎重な行動に計算外の顔をしているかもしれない。

finish blow ⑥
コオロギ（ゴキブリ）食の推進者はやはりビル・ゲイツ！ 証拠が続々と出てくる!?

今の日本人は、欧米の情報なら何でも受け入れ信じるグローバル化が進んでいるが、言葉を変えればそれは白人化で、そもそも大和民族は欧米の白人種ではない。

「コオロギ（ゴキブリ）食」を白人がこれほどまでに好きなのは不可解だが、爬虫類に限りなく近い種族なら都市伝説でいう「レプティリアン」で、そもそも白人は狩猟民族で、農耕民族の日本人とは文化も食習慣も違うはずである。

「ＦＡＯ（国連食糧農業機関）」の食糧対策が、なぜ「コオロギ」に特化するか不可解だが、こういう場合は古今東西例外なく何らかの利権が働いている。

「ＦＡＯ」の「コオロギ推し」が妙に不自然で、なぜコオロギだけを推してくるのか謎で、バイアスを掛けてまで国際的にコオロギをフィーチャーする自体に、新型コロナと似た有無を言わせぬ圧力を感じる。

コオロギ（ゴキブリ）導入には、判で押したように「食糧問題の解決に期待されている」の大義名分が付くが、豊富なタンパク質、飼料の少なさ、省スペースなどのメリットを幾ら掲げても、日本や世界の「食糧自給率」を上げることや、先進諸国の「フードロス問題」を改善する方が先のはずである。

高タンパク質を摂取するなら、日本では無理にコオロギ（ゴキブリ）を食べなくても、「大豆」「海藻」「培養肉」など幾つもあるはずである。

そこで「ＦＡＯ」とビル・ゲイツの関係を調べると、出てくる出てくる、「反飢餓プロジェクト」でビル・ゲイツは２０１０年頃から「ＦＡＯ」と協力体制を組んでおり、当時の「ビル&メリンダ・ゲイツ財団」から多額の寄付がされている。

結果、当然だが「FAO」とビル・ゲイツの関係はズブズブとなり、ジョゼ・グラジアノ・ダ・シルバFAO（前）事務総長は、民間セクターや市民社会と一層密接に提携するため、ビル・ゲイツにに「FAO」への〝永久入場許可証〟まで与えている。

ビル・ゲイツは「FAO」との蜜月関係を続けるため、FAOのデータ収集システムの改善と、飢餓削減の進捗状況の測定を改善する複数機関のスコアボードを開発し、世界の貧困層の大半を占める小規模農家の持続可能な生産性と市場機会を高める提案で、人道主義者の名声を勝ち取っていく。

ビル・ゲイツは「国際農業開発基金」の「第35回総会の質疑応答セッション」の席で、食糧と持続可能な貧困削減を掲げ、以下の演説を行っている。

「世界の未来は、農業生産性におけるもう一つの革命とともに始まるだろう……（中略）……増加する都市の貧困家庭にとっては、より多くの農作物が入手しやすく、安くなる!!」

この演説にある「農業＝コオロギ（ゴキブリ）」に変換したら、今の「FAO」の姿がきれいに見えてくる……

「FAO」の突然の「コオロギ食」の発案者はビル・ゲイツとしか思えず、新型コロナ（ＣＯＶＩＤ－19）をパンデミックと騙して大騒ぎし、ゲノムワクチン開発に一番積極的だったのもビル・ゲイツだった。

大和民族は、昔から一見して無駄にしか見えないことを文化に昇華してきたが、白人の思考の根底にあるのは絶え間ない「合理主義」で、特にアメリカ人は簡単に安価で物事を達成する能力を良しとする。

繊細な食文化の日本人は、何でも腹に入ればいい的な雑食性を嫌うが、合理主義のアメリカは雑食性こそが合理的で、何でも食べることが安価へとつながり、だから「ファーストフード」がアメリカの文化になった。

さらに、雑食性＝コオロギ（ゴキブリ）は餌によって味が変わることで香りの変化まで楽しめるとし、何でも食べる雑食性のため、〝廃棄食品〟でも〝農業廃棄物〟の野菜の欠片もコオロギ（ゴキブリ）で還元ができ、体内で高タンパク質を作ることができるため、動物性の餌と植物性の餌に分けたコオロギ（ゴキブリ）は、その成分さえ変わると考える。

この雑食と合理主義が生んだのが「コオロギ（ゴキブリ）食」で、「高タンパク質・高栄養価・どこでも作れる」の合理的最先端国アメリカ、そのアメリカのビル・ゲイツしか犯人はいない。

物事を一つの流れでしか受け取れない人間は、あの時の「新型コロナ（COVID−19）」をパンデミックと一方的に信じ込んだ結果、遺伝子操作された「遅延死溶液」の接種に走ったのと同じ構図が、「コオロギ（ゴキブリ）食」にも見えてくる。

finish blow ⑦

コオロギ（ゴキブリ）食は、ワクチンジェノサイドを擦り抜けた者に放つ第2のホロコースト⁉

自民党の小泉（朴）進次郎や、コオロギ太郎（河野太郎）など自民党議員の考えは、日本人の引き籠り体質が日本経済を停滞させ、国際的グローバルリズムの大海に船出してこそ、日本が勝利をつかむことができるアメリカンスタンダード（アメリカニズム）が彼らの根底にある。

要は、コオロギ（ゴキブリ）を食べることに心理的抵抗がある日本人は、世界の臆病者で、新奇なものに恐怖を感じる「ネオフォビア／Neophobia（新奇性恐怖）」なので、一刻も早く自分を取り巻く壁「コンフォート・ゾーン（Comfort Zone）」を破らねばならないとする。

だから「ＦＡＯ（国連食糧農業機関）」「ＥＵ」が認める「昆虫食」を、21世紀最大のフロンティアとし、世界は平和と環境の共存のため「コオロギ（ゴキブリ）食」に邁進しなければならないとする。

もちろん、その裏に自民党の「利権構造」があり、その利権の相手がロスチャイルドとロックフェラーなら、財団や関連企業から金が入る仕組みができている。

似非パンデミックを利用した「ゲノム遺伝子操作ワクチン（溶液）」接種の時も、ワクチン接種を推進する日本医師会、有力医院、有名医師にロックフェラーの関連団体から莫大な報奨金が振り込まれている。

今の国際社会は、イギリスのロスチャイルドが支配する「国際金融支配構造」「為替制度」と、アメリカのロックフェラーが支配する「世界基軸通貨」「覇権大国」で成り立ち、今まで「国際資本主義体制」「拝金主義」「新自由主義」「グローバル資本主義」を支えてきた。

ロスチャイルドは「産業革命」以来の「資本主義体制」を支える「国際銀行制度」を支配し、ロックフェラーは覇権主義体制で「超大国（アメリカ）」を支配し、「大西洋」をロスチャイルドが、「太平洋」をロックフェラーが支配している。

さらに具体的には、ロスチャイルドはイギリスの「イングランド銀行」でポンド札を刷って為替界を支配し、ロックフェラーはドル札を「ＦＲＢ（連邦準備制度理事会）」で刷って、ドル札を〝基軸通貨〟にし、「ニクソンショック」以降〝金本位制〟が消えた後、ジャブジャブにドル札を刷ることも可能になった。

それをマッチポンプで銀行が吸い上げ、上に上に持っていき、最終的にロスチャイルドの天文学的資産となる仕掛けが「国際金融構造」で、リボ払いも個人を銀行の一生の奴隷にするために考案された悪魔のシステムだ。

「ナポレオン戦争」の高利貸しで天文学的な利益を得たロスチャイルドは、全ヨーロッパの「銀行制度」を絡め取り、「永世中立国」スイスに莫大な資産を置き、そこを根城に「国際資本主義体制」を支配している。

さらに、スイスには「国連」の36機関が集まり、約７００の「ＮＧＯ（非政府組織）」、１７９の「政府代表部」があり、アメリカのロックフェラー支配下のＮＹの「国連本部ビル」の出先機関が揃っている。

一方、スイスには「世界金融システム」の頂点にあるロスチャイルドの「ＢＩＳ／Bank for International Settlements：国際決済銀行」があり、その下に「ＩＭＦ（国際通貨基金）」、「世界銀行」、「中央銀行」、さらに下に各国の「銀行」と続き、世界中の富（金銭・資本・資産）を最頂部に吸い上げている。

ところが、「新自由主義」「グローバルリズム」が台頭する中、アメリカのように３パーセントの超富裕層が97パーセントの資産を支配する体制により中流層が大激減し、世界は17パーセントの白人以外は有色人種で占められ、特にアフリカの極貧層相手に銀行は成り立たない。

その結果、２０２３年春、突然、アメリカのシリコンバレーのＩＴベンチャーに投資する「シリコンバレー銀行」、暗号資産（仮想通貨）関連企業を主な顧客とする「シルバーゲート銀行（シルバーゲート・キャピタル傘下）」、「シグネチャー銀行」の３行が連鎖倒産し、その飛び火がスイスの「クレディ・スイス」を直撃したことは、ロスチャイルドの牙城に綻（ほころ）びが出始めたことを意味する。

一方、デジタル時代に突入した現在、世界中で取引されるドル札による支払いも、アメリカを通さない「デジタル通貨」が使われると、ロックフェラーの「基軸通貨（ドル札）」による手数料が消滅、ロックフェラーによる世界支配体制が崩れ始めてきた。

そうなる前に、今までの国際システムを捨て去り、新たな世界支配システムに移行するための「グレートリセット（Great Reset）」が必要で、ロスチャイルドとロックフェラーの「イルミナティ【後期】／Illuminati（Late-day）」は、ＡＩで世界を管理させる「ＡＩ／artificial intelligence（人工知能）」、人の代わりにロボットが働く「Robotech Technology（ロボテック・テクノロジー）」、ゲノム遺伝子工学で永遠に生きることも可能とする「バイオテクノロジー（biotechnology）」の三本柱があれば、今の世界人口80億４５００万人は全く不要となり、超富裕層のユートピア「リッチスタン（Richistan）」には5億人程度が環境にもよく支配しやすいと決定する。

そこで世界中を騙すため、ビル・ゲイツに創らせた「新型コロナウイルス」をばら撒き、世界をパンデミックで恐怖に陥れた後、開発者の責任を免除する遅延死目的の「ゲノム遺伝子操作溶液」を接種させ、世界の累計接種回数は２０２２年10月27日で１２８億８５４３万回を超えた。

これは累計なので正確な数字ではないが、1回でも接種したら3年（遅くても4年）で必ず死ぬため、人口増加対策用の「コオロギ食」もゴキブリ同然の大嘘で、ジェノサイトを擦り抜けた連中を殺すため、ビル・ゲイツが編み出した第2弾のホロコーストである!!

finish blow ⑧

異常な計画!?　ビル・ゲイツ、ロックフェラー、ロスチャイルドらの根底には聖書（神）への反逆と復讐がある!?

２０２０年、今世紀最高の人道家と称されるビル・ゲイツは、「ビル＆メリンダ・ゲイツ財団」の年次報告書「ゴールキーパーズ・レポート」の中で、「新型コロナウイルス（ＣＯＶＩＤ－19）感染症のパンデミックが、全人類の健康と福祉に悪影響を与えている」と分析、それ以前からも「一瞬にして健康危機は経済危機に、そして食糧危機、住宅危機、政治危機に発展する」とコメントしていた。

新型コロナウイルス「ＣＯＶＩＤ－19」を自らの財団の資金で創らせておきながら、一体どの口が言うのかということだが、少なくともこの段階で、ビル・ゲイツが「世界経済破綻」「食糧問題」の種をばら撒いていたことが読み取れる。

「ＦＡＯ（国連食糧農業機関）」を莫大な資金で取り込んでいたビル・ゲイツは、急速に成長する害虫に対し、世界の飢餓を克服する〝魔法の種〟を提案するとしたが、その一石二鳥を「昆虫食」それもゴキブリの近種の「コオロギ食」に向かわせていく。

最近の「年次ゴールキーパーズ・レポート」で、ビル・ゲイツは、「世界的な飢餓危機は非常に深刻で、食糧援助はこの問題に完全に対処できない」とまで述べ、少しずつ確実に「昆虫食」へ思考が向くよう誘導していた。

同時に、「ｍＲＮＡ」でも使われたゲノムによる遺伝子操作で、「暑く乾燥した気候に対してより耐性を持つように改良されたトウモロコシや、田んぼで育つのに3週間もかからない米」の具体案まで発表した以上、近い内にゲノム穀物が現れるだろう。

これを、ビル・ゲイツは「魔法の種（ブレークスルー）」と命名している。

当然、この考えの延長に「コオロギ（ゴキブリ）」のゲノムによる〝遺伝子操作培養〟も想定していたはずで、その思考自体が既に悪魔的である。大和民族が大和民族生存のために書き残した『旧約聖書』『新約聖書』を、ビル・ゲイツを筆頭とする欧米のキリスト教国は踏みにじっている。

「羽があり、四本の足で動き、群れを成す昆虫はすべて汚らわしいものである。ただし羽があり、四本の足で動き、群れを成すもののうちで、地面を跳躍するのに適した後ろ肢を持つものは食べてよい。すなわち、いなごの類、羽ながいなごの類、大いなごの類、小いなごの類は食べてよい。しかし、これ以外で羽があり、四本の足をもち、群れを成す昆虫はすべて汚らわしいものである。以下の場合にはあなたたちは汚れる。死骸に触れる者はすべて夕方まで汚れる。また死骸を持ち運ぶ者もすべて夕方まで汚れる。衣服は水洗いせよ。」(『旧約聖書』「レビ記」第11章20～25節)

この記述から、当時の「ヤ・ゥマト（ヤハウェの民：ヘブライ語）」は、6本脚の昆虫を2本の前脚と4本の後ろ脚に分ける表現をしていたことが分かる。

ビル・ゲイツはプーチン大統領による「ウクライナ侵攻」（2022年2月24日）による世界的小麦不足を巧妙に利用していく。

「自分の革新により、気候変動にもかかわらず農業生産性が向上する」

「魔法の種のような〝新しいイノベーション〟の研究開発予算は、食糧援助支出と比較してまだ小さすぎる」

「ウクライナのような紛争が食糧供給を混乱させるため、人々が仲間の人間が飢えるのを防ぎたいと思うのは良いことだが、食糧危機はより深い問題の兆候と認識しなければならない」

「多くの国はまだ十分に開発されておらず、気候変動は農業をさらに困難にし、この課題は寄付では解決できないため、革新が必要だ」

その一環で「ＦＡＯ」による「昆虫（コオロギ）食」が出てくるわけだが、ビル・ゲイツやロスチャイルド、ロックフェラーがゴキブリを食べるとは到底思えない。

最近、「ビリオネア（Billionaire）」という言葉が欧米で出てきたが、10億（1 billion）以上の個人資産を持つ〝ミリオネア〟を超える超富裕層を「ビリオネア」とし、彼ら超特権階級の住む仮装世界を「リッチスタン（Richistan）」といい、その代表格が「マイクロソフト（Microsoft）」の共同創業者のビル・ゲイツである。

さらに、その上に君臨するのが「ハイパーリッチスタン（Hyper-Richistan）」に君臨するロスチャイルドで、ロックフェラーとともに実質的に〝京〟の資産を自由に動かせるため、その資産は無限大である。

イエス・キリストの享年は31～32歳のため、再降臨する直前の２０３０年までに、ロスチャイルドとロックフェラーの「カナン人」の末裔は、造物主ヤハウェの全ての民族を地上から抹消し、アメリカ人もイギリス人もほとんど全てを抹殺する。

残るのは必要な奴隷と技術者だけで、「人工知能（ＡＩ／artificial intelligence）」、「Robotech Technology（ロボテック・テクノロジー）」、「バイオテクノロジー（biotechnology）」によるニムロド王のユートピアを完成させる。

そのために使い捨てで利用するのがアシュケナジー系ユダヤ人、欧米キリスト教諸国の白人で、同類のネグロイドを含む世界中の人間をほぼ抹消すれば、サレム（後のエルサレム）の預言者セムに首を刎ねられたニムロド王の願いを叶えたことになり、絶対神ヤハウェと大和民族に大勝利し、ハム系カナン人の神「バアル（ルシフェル）」を召喚すれば、地底のアルザル軍や太陽に住むエノク軍など全てバアルが蹴散らしてくれるとする!!

finish blow 9

狂気の有様!? 国連が子供に9歳までにSEXを指導!? カナン人の神バアルがここに居る!?

ビル・ゲイツの指導に従い、子供が感染しても風邪程度に過ぎない「新型コロナウイルス（COVID－19）」を、世界的感染爆発のパンデミックに仕立て上げたのが「WHO（世界保健機関）」で、ビル・ゲイツが唱える食糧難を聞き入れ、コオロギ食推進を決定したのが「FAO（国連食糧農業機関）」だった。

それらの「国連」の36機関が集結するのが、ロスチャイルドが建国当時から関わる永世中立国のスイスで、国連本部ビルは「ディープステート（DS／Deep State）」

の帝王ロックフェラーが支配するアメリカにある。

ジュネーブには、国連機関だけでなく約700の「NGO（非政府組織）」と179の「政府代表部」が揃っている。

その国際平和の象徴だったスイスのジュネーブが、ビル・ゲイツが暗躍し始めてから一気に狂気の様相を示し始め、小児性愛者ビル・ゲイツのために、「WHO」の裏ガイダンス「性教育に関する国際技術ガイダンス」の16ページ目に、「子供たちのために、性的な関係を築く能力を身に着けさせることを目的とする」とあり、17ページに「こうしたスキルは子供たちが性的パートナー（大人）との関係を築くのに有益である」と記されており、71ページに「教育者は5歳児から、キス、ハグ、タッチ、性的行動について教えねばならない」ともあり、その先には「9歳までに初めてSEXをするよう指導……」と思わず目を覆いたくなる。

同様の内容は、「国連アジェンダ2030」にさらに具体的に記され、「この大変革のSDGsに誰一人として取り残されてはならない!!」とし、地球上の全人類のあらゆる側面を激変させねばならないと記されている。

以前にも別のところで紹介したが、白人種による狂気の有様を、ミシェル・ド・ノストラダムスは「百選詩集（諸世紀）」の第9巻44でこう警告していた。

Migres migre de Genesue trestous,
Saturne d'or en fer se Changera,
Le contre RAYPOZ exterminera tous,
Auant l'a ruent le ciel signes fera.

離れよ、一人残らずジュネーヴから離れよ。
黄金のサトゥルヌスは鉄に変わるだろう。
レポの反対が全てを滅ぼすだろう。
到来の前に、天が徴(しるし)を示すだろう。

全国連機関と関連組織が存在するスイスに、「世界金融システム」の頂点にあるロスチャイルドの「ＢＩＳ／Bank for International Settlements：国際決済銀行」が聳(そび)え建ち、その下に「ＩＭＦ（国際通貨基金）」「世界銀行」「中央銀行」さらに下に各国の「銀行」と続き、世界中の富（金銭・資本・資産）を最頂部に向けて吸収してきた。

その中で唯一の〝銀行の王〟とされるのが「ＢＩＳ（国際決済銀行）」で、スイスのバーゼルでバベルの塔の如く建っているが、その周辺を「フランス語：Bâle」「イタリア語：Basilea」と書き、ともに〝バアル〟で、子供を生贄に捧げたカナン人の神バアルを意味する。

第9巻44にある「サトゥルヌス（Saturne）」も「ローマ神話」に登場する子殺しの神で、自分の子に殺される予言に恐れを抱いて5人の子を生贄に次々と喰い殺した。

「レポ（RAYPOZ）」は〝反対〟を〝逆〟にするアナグラム（入れ替え）で「ゾハル（ZOPHAR）」を指し、ゾハルは「ノアの箱舟」の内部を照らした〝光の結晶体〟から、レポは〝光の反対〟を意味し、バアルを「ルシフェル：悪魔・サタン」と指している。

全体的に言えば、全てを引っ繰り返す「６６６」が新世界秩序（New World Order）を掲げながら、人類の大虐殺を始める預言で、バアルに乗っ取られた「国連」から、全ての人はスグに逃げ出せとノストラダムスは警告している!!

このことからも、国連が推し進める「コオロギ（ゴキブリ）食」は、地獄へ一直線の仕掛けがビル・ゲイツによって仕掛けられていることを示唆する。

finish blow ⑩

まだ騙され続けるのか⁉　コオロギ（ゴキブリ）食推進に見え隠れするのは、在日支配自民党と在日支配のＴＶ局！

国連による、２０３０年までに〝昆虫食義務化〟の大波が押し寄せる今、（元）環境大臣の小泉（朴）進次郎の〝昆虫食パフォーマンス〟がセクシーに拡散中である。

この男、韓国系の父、小泉（朴）純一郎が「アメリカ大使館（極東ＣＩＡ本部）」と、地方の「統一教会」が全力で自民党員をバックアップして総理に押し上げ、「自民党をぶっ壊す!!」のワンキャッチのアメリカ型〝劇場型選挙〟を在日支配のＴＶ局で展開、アメリカ式選挙に全く不慣れだった日本人有権者を騙し政界のＴＯＰに躍り出た。

小泉（朴）純一郎の「自民党をぶっ壊す!!」は自民党の日本人議員をぶっ壊す意味で、ほとんど訳の分からない「郵政改革」を圧倒的多数の議席数で押し切り、日本人の郵貯と簡保３５０兆円がアメリカに還流され、禿鷹ファンドの餌食となったばかりか、ロスチャイルドの「国際金融支配ピラミッド」に吸収された。

その息子の小泉（朴）進次郎は、父親と同じよけいなことを仕出かす天才で、環境大臣当時に悪名高き「レジ袋有料化」を実現させ、当時、既に土に溶けるレジ袋が開発されていたが無に帰し、金を出してレジ袋を買わねばならないことになった。

終戦直後のダグラス・マッカーサーの「WGIP／War Guilt Information Program（戦争についての罪悪感を日本人の心に植え付けるための宣伝計画）」の一環で、在日朝鮮人が支配するTV各局は、小泉（朴）一族を毛並みのいい政界サラブレットとしての特番まで制作、長男の小泉（朴）孝太郎は、何の経験がなくても在日シンジケートによってTVドラマで主役を次々と演じ、コマーシャルで引く手数多となる。

馬鹿なのは茹で蛙の日本人で、今度は小泉（朴）進次郎が、日本の女性向きにセクシーな「昆虫食」をPRし始めた。

日本では、男性はほとんど茹で上がっているので無視してよく、関西系在日で横文字をTVで連呼して都内の女性票を獲得する小池百合子都知事と同じく、ダイエットやフィットネスで女性が飛びつく「昆虫食」を、一気に加速させる役目を自らのセクシー路線で開始した。

この男の立ち位置は、自民党のサンプルケース（リトマス議員）の役目を担っている。

セクシー路線で小泉（朴）進次郎が出てきて、コオロギ太郎（河野太郎）が追従する動きから見て、「ＦＡＯ（国連食糧農業機関）」が２０１３年5月に発表した「食用昆虫類：未来の食糧と飼料への展望（Edible insects: Future prospects for food and feed security）」が、その後の国連フォーラムで持続可能な開発目標（ＳＤＧｓ）がお墨付きを与える以上、利権が発生する「昆虫食」に自民党が何もしないわけがない。

２０３０年までに達成させるＳＤＧｓの「昆虫食」のお墨付きで始まったのが、「ゴミムシダマシの幼虫」「イナゴ」そしてコオロギを3番目の「新しい食物（Novel Food）」に正式承認したＥＵは、「ウクライナ侵攻」と同じパターンでイギリスのロスチャイルドとアメリカのロックフェラーに誘導されていく。

この国際的決定事項を受け、日本では「コオロギ（ゴキブリ）食」が急展開、ほとんど知られない間に、大手Ｐａｓｃｏで知られる「敷島製パン」が、２０２０年12月から「高崎経済大学発」の昆虫食のベンチャー企業「FUTURENAUT」と共同で「Korogi Cafe（コオロギカフェ）」シリーズを展開していた。

「敷島パン」のパンとフィナンシェなどに「コオロギパウダー」が配合され、今は通販限定で販売しているが、様子を見て全国のコンビニ、学校給食、デパートと様々な分野で展開することになる。

最悪は、そんな事実を隠そうとする河野太郎デジタル大臣の態度で、この男は自民党が約束していた「マイナンバーカード」の受け取りの〝任意性〟を、突然、「健康保険証」と一体化させ「運転免許証」とも一体化させると発表、受け取らなかったら損するゾの上から目線で押し切る今の自民党の傲慢さを露呈した。

２０２２年2月19日、徳島発のベンチャー企業が集まる会合で、河野太郎がゲスト参加し、ＳＤＧｓ邁進を目的に「新しい世代が新しいことを始める時に対応できるように、国のルールはフレキシブルなものにしておかないといけないのかなと感じた!!」と話し、ミックスナッツとコオロギエキスと塩コショウで味付けした乾燥コオロギも試食して「おいしかった。抵抗なく、あっさり!!」と話したと新聞各社が伝えた。

これが今年になってＳＮＳで炎上したため、慌てた河野太郎デジタル大臣は火消しに躍起で、「政府のコオロギ食推進は悪意のあるフェイクだ」と言い切ったが、それこそ自民党が水面下で推し進める現実を隠すためのフェイクである。

これについて、河野太郎のＴｗｉｔｔｅｒに書き込まれた自民党支持者と自民党地盤層のコメントが凄い……

「え、まだフェイクニュース出回っているのか？　最近見てないけど、以前のソレの熱がまだ残っている人が多いのか？　困りますなあ」

「コオロギは残念ながら毒性の強いものです。推し進めていらっしゃらないようで安心しました」

「自国で食べるだけではなく、日本の安全性の高い昆虫食を海外に売り込む方向もあると思うのですが、その可能性の芽すら潰したいのかと思う意見が散見していますね」

「ホント、それ。この技術が海外を助けることもありますからね」……

やはり1億近い茹で蛙が悶絶するまで浄化を待つことになりそうだ。

finish blow ⑪
裏があるぞ‼　安全性の確認はどの国際機関も行わない⁉　なぜそこまでしてゴキブリパウダーを食わせたいのか⁉

在日系が支配する「自民党」は、「昆虫食推進」の利権と、参入するベンチャーと大手企業への補助金で、国連の名の下に推し進める「コオロギ（ゴキブリ）食」は、霞が関と自民党が許可（黙認）しなければ、国内での製造も販売も許可されるはずがなく、コオロギ太郎（河野太郎）の「自民党に推進の計画はない」発言はFAKEの大嘘となる。

コオロギとほとんど同種のゴキブリを食べるイメージが付きまとう「ネオフォビア（新奇性恐怖）」に対応する策として、各メーカーが考え出したのが、原型が分からない様磨り潰してパウダー状にすることである。

たとえば、無印商品の「チョコレート」の注意書きに「食用コオロギパウダーはエビやカニなどの甲殻類と類似した成分が含まれています」と、これには暗に日本人が大好きな「エビ」「カニ」と同じとイメージさせている。

実は、コオロギ（ゴキブリ）には、イナゴと違い「有害微生物」や熱処理でも死なない「芽胞形成菌」が多く含まれ、さらにまだ解明されていない寄生虫もいるため、一説では蛙でさえコオロギだけは食べないというが、茹で蛙は食べるようだ。

コオロギ（ゴキブリ）の脚は有害な「カドミウム」などの重金属が蓄積しやすく、漢方でも非常に危険な昆虫に分類されている。

そこで、コオロギ（ゴキブリ）食のイメージを払拭させたい各メーカーは、成分表示にコオロギとは書かず、別の名で誤魔化そうとしており、「ドライクリケット」「グラリスパウダー」「サーキュラーフード」「シートリア」等々、ひどい場合は「アミノ酸」と表示するケースもあるようだ!!

「シェラック」「コチニール」「カルミンレッド」は他の虫から抽出しており、正確には「シェラック」はラックカイガラムシから抽出し、銅クロロフィルは桑葉と蚕糞から、コチニール染料（カルミンレッド）はコチニールカイガラムシを原料としている。

怖ろしいのは、「コオロギ（ゴキブリ）パウダー」の安全性は、どの国際機関も行わないことで、一部の研究機関や業界団体がコンソーシアムを作って製造販売のガイドラインを策定していても、衛生面やアレルギー、輸入品などの安全性に関する明確な法規制がないこと。そんな現状の中、ＥＵから〝コオロギ（ゴキブリ）入り〟のチョコレートやクッキーが次々と輸入されている。

肉食への贖罪意識と「ＳＤＧｓ」のエコロジーへの関心度が強いＥＵとアメリカでは、確実に「昆虫食」がエコロジー市場に浸透し、昆虫が新奇性のある食材ではなくなりつつある中、アメリカナイズされた今の日本人は、アメリカの言うことは何でも信じる体制ができあがっている。

茹で蛙と化した日本人への殺し文句は、「海外（特に欧米・英米）で認められている!!」で、戦前の日本とは違い戦後の日本に独自ルールは存在せず、ほとんどが「欧米ルール」で、１００パーセントは「国連ルール」で戦後日本の骨組みが成り立っている。

アメリカのフロリダ州で行われた「昆虫大食いコンテスト」で、ゴキブリを含む様々な昆虫を食べた男性が、コンテスト終了後に体調を崩し、嘔吐の中で救急車を呼んだが死亡したというが、詳細は不明の中どうも「都市伝説」の可能性も出てきた。

というのは、1971〜82年まで日本テレビで放送された「TVジョッキー日曜大行進」の「奇人・変人」コーナーで、76年にコーナーに出演した少年が唐揚げのゴキブリを食べていたが、今度は3年後に生きたゴキブリを食べた結果、腹の中でゴキブリが繁殖を始め、胃と腸を食い破られ悶え死んだ話が全国に伝わった……その話がベースになった可能性がある。

後に『週刊実話』が本人を追跡した結果、男性は死んでおらず、その後は大学に入って業界紙の記者になったと判明している。

問題があるとすれば、当時のゴキブリと、やがて確実に登場する工場生産型のゲノム・コオロギは、遺伝子操作で大量生産される別物ということだろう。

だからだろう、コオロギの漢字は恐怖の蟲の意味の「蛩」と書く!!

finish blow ⑫

裏で金もらってるの⁉ ワクチンの時と同じ構図！コオロギ（ゴキブリ）食におけるジャーナリストのサッパリ分からない見解‼

２０１８年９月、日本の「食品安全委員会」は、「ＥＦＳＡ（欧州食品安全機関）」が公表した「新食品としてのヨーロッパイエコオロギについてのリスクプロファイル」を紹介し「昆虫食はアレルギー源性になる」と警告した。

１／総計して、好気性細菌数が高い。
２／加熱処理後も芽胞形成菌の生存が確認される。
３／昆虫及び昆虫由来製品のアレルギー源性の問題がある。
４／重金属類（カドミウム等）が生物濃縮される問題がある。

では、日本で昆虫食を導入しないのかというと、「食品安全委員会」のメンバーで科学ジャーナリストの松永和紀は、「内閣府食品安全委員会が、コオロギ食を危険だとして警鐘を鳴らしているというのはデマです!!」と切って捨てた。

ここから先は政治的発言、組織的弁明、解釈の違いなどの〝抜け穴〟の連呼が始まる。

「1：好気性細菌は、動植物全ての食品に含まれており、加熱して殺菌して食べています。加熱殺菌しないことにより、ユッケの食中毒死亡事件とか、鳥刺しで食中毒とか、しばしば問題が生じています。好気性細菌が怖いというのは、昆虫食だけの問題ではありません」

一見するとまともに答えているように思われるが、要は何もかも十把一絡げに大鍋にぶち込むことで、どうせ全て同じでしょで、コオロギ（ゴキブリ）を推進する底意が見え見えである。

「2：一般食品と同じで、芽胞形成菌が生き残っている加熱食品は多数あります。レトルト食品の条件（120度以上で4分間以上の加熱）であれば、芽胞形成菌は死にますが、そんな加熱をしていない食品は多数あって、私たちは普通に食べています。コオロギだけが、という話ではないのです」

これも、「コオロギ食」を大鍋に放り込めば全て解決式で誤魔化しており、ビル・ゲイツ母型で創られた、マイナス70℃で冷却した「ゲノム遺伝子操作ワクチン」なので「ｍＲＮＡ」は壊れず安心と言ったときと全く同じで、「コオロギ食」を推進したい気が満々のスポークスマンと思えばいいだろう。

「３：これが昆虫食の最大の問題だ、と多くの科学者が指摘しています。甲殻類アレルギーを引き起こすアレルゲンと同じタンパク質やよく似たタンパク質を昆虫も持っていることが多いためです。ただ、アレルギーを持つ人がいるから甲殻類は危険だ、とは言いません。そういう体質の人は食べないようにするが、平気な人は食べる、ということが社会的に合意されています。昆虫食も同じで、これは『危険だ』という主張の根拠にはならないと思います」

ｍＲＮＡワクチン接種も基本的に〝任意〟だったはずが、「接種しなければ会社を辞めてもらう」「非接種者の海外渡航はさせない」「ワクチンパスポートを発行する」「ＰＣＲ検査を受けてもらう」「抗体検査を受けてもらう」「非接種者の入店お断り」の同調圧力が凄まじかったため、この科学ジャーナリストは一種のカルト信者というしかない。

「４：ほかの生物も同様で、生物濃縮は起きます。どんな餌を食べさせて飼育するかなどにより変わります。ここで指摘されていることは、全ての食品について共通して言えることです。現在のコオロギだけが、こうしたリスクを抱えているととらえるべきではありません」

何度も言うように、馬鹿の一つ覚えのように大鍋に放り込めば全て解決論法で、科学をひけらかして万能を謳い上げ、否定したければ更なる科学を持ってこいの高慢さで満ち溢れているが、言うことのベースは全て〝欧米が認可している〟だけの一点張りである!!

以下のコメントも、コオロギ食を推進したい我欲しかないためか、いくら言葉で誤魔化そうと、きれいごとを並べても、本性は圧力を掛けたいだけである。

「まず、日本の内閣府は、昆虫食の安全性についての何の見解も示していません。内閣府食品安全委員会は、国民の健康保護のための、リスク評価とリスクコミュニケーションが業務。国際機関、各国政府機関などの発表した食品安全に関する情報を収集分析し、日本語の要旨をＨＰなどで公開しています。問題とされた文書は、ＥＦＳＡの文書を紹介しているだけで、食品安全委員会の見解というわけではないのです」

「ＥＦＳＡの文書が出たのが4年半前のこと。それ以降、事業者は飼育管理の改善などに努め、ＥＵ内の行政機関はアレルギー表示などを求めることにしました」

「すでに欧州委員会で、いくつかの昆虫食が『新規食品』として認可されています。『コオロギは雑食性だから何が起きるかわからない』という主張も目立ちますが、現在、食用として提供されているコオロギは管理下で飼育されたものですので、雑食している野生のコオロギとは別物です」

　何度も例の大鍋が出てくる論法ばかりで、この科学ジャーナリストのどこにも科学性の欠片も感じることはできない。

「個人的には、鳥刺しや鳥たたき、中が生焼けのハンバーグなどの方が圧倒的に危ない、と思います。個人的な嗜好として昆虫を食べないと宣言するのは勝手ですが、安全性については科学的に判断してほしいし、間違った情報を流してほしくないですね」

　最後の最後まで大鍋である……その短絡思考の姿勢の一体どこに科学的片りんがあるのかサッパリ分からないが、昆虫食応援団の代表として、以下の最後っ屁をかまして終わっている。

「根拠とされたＥＦＳＡの文書が、正しく理解されていないと思う!!」

　要は、幼児が感染しても平気な新型コロナの時と全く同じで、「ＷＨＯがパンデミックと承認しました」「最先端のゲノム技術のワクチンです」を基盤に最先端科学性を謳い上げ、一方で人間の弱みの「念のために接種しましょう」を殺し文句に、最も科学で肝心な検証、「臨床試験」をほとんどすっぽかして科学をひけらかした〝輩(やから)〟と全く同じで、危険性を訴える学者や専門家を全て得意の大鍋に入れ、「陰謀論者」「ネアンデルタール人の頭」と決めつけていた。

finish blow ⑬
世界の昆虫食（＝ワクチン接種）に遅れるな!!　今度も利益は世界規模!?　超リッチスタンの飢餓ビジネス!!

「国連」の決定は全て提案であり拘束力はない……各国もそれぞれ判断ができ、少なくとも「コオロギ（ゴキブリ）食」を推進しなくても何の罰則規定もない。

下手物の「コオロギ（ゴキブリ）食）」より、日本では毎年612万トンの食料が廃棄される「food waste」「food lose」が起きており、「農林水産省・環境省」（2017年度）の調査でも、事業系の食品ロスが328万トン、家庭系の食品ロス284万トンとされる。

これは「東京ドーム」5杯分と同じ量で、日本人1人当たり〃お茶碗1杯分のごはんの量〃が毎日捨てられていることになる。

大量の食料廃棄が進む日本で、自民党により裏でコソコソ目立たぬよう何かが起きている……農業の補助金が一斉に減らされ、米や牛乳を生産しても、生産者が損をする仕組みができている半面、苦労して育てた農作物を中国など海外へ大量輸出する真似を始めているが、２０２３年8月24日の「福一原発」の処理水放出で、中国の日本産農作物の輸入全面禁止でお釈迦になった。

さらに、北海道など酪農家の85パーセントは赤字経営で、２０２２年11月、酪農家に牛を殺処分するように指示、牛一頭を屠殺すると15万円の補助金を出すとし、日本の将来の酪農の根切りを開始した。

そんな現状の中、税金を使って「コオロギ（ゴキブリ）を食べていこう!!」というのが小泉（朴）進次郎のセクシー路線である。

２０２３年1月、「欧州委員会」は４つの昆虫食を〝新規食品〟として承認したが、イタリアはパスタに昆虫の粉を使用することを全面禁止、ハンガリーは昆虫の食品化に対する厳しい規則が決められ、昆虫タンパク質を含む食品は必ず〝警告〟のラベルが貼られることが義務づけられた。

「コオロギ」の品種や加工方法に関係なく、世界で今まで「コオロギ」が食べられてきた歴史がないため、ビル・ゲイツ製母型ゲノム遺伝子操作溶液の接種と同じ、何が起きてもおかしくなく、安易に口にするのはｍＲＮＡワクチン接種同様「危険!!」と指摘しておく。

ところが、日本ではマスゴミがこぞって「コオロギ」を〝陸のエビ〟とＴＶを使って洗脳を開始、最も恐ろしいのは在日系支配の自民党によって、「食品基準法」が悪用され、5パーセント未満であれば「コオロギ」と記載しなくてもよく、「消費者庁」も「コオロギを添加物（調味料）として使った場合、〃アミノ酸等〃と表記できると認可した。

セクシー小泉（朴）進次郎はイメージ戦略に過ぎず、実態は、在日系支配の自民党と創価学会・公明党により、安全性が確認されていないにもかかわらず、在日系支配のＴＶ局などマスゴミによる異様な盛り上げ方で、「世界の昆虫食に遅れるな!!（ワクチン接種に遅れるな）」の元来た道を再び茹で蛙が乗っかっていく……。

では自民党の裏に何者がいるかというと、ビル・ゲイツで、ビル・ゲイツの裏にアメリカがいて、アメリカの後ろにロックフェラーがいて、その後ろにピラミッド構造の頂点にいるロスチャイルドがいる構図で、そこから「昆虫食推進者」「政党」「組織」に莫大な金が流れ込み、それと同じ構造が「ゲノム遺伝子操作ワクチン」だった。

彼ら「イルミナティ【後期】／Illuminati（Late-day）」の潤沢な資金で創られた「食糧危機パニック」は、子供が感染しても平気だった新型コロナによるパンデミックと同じ構造で、10年ほど前から徐々に撒き餌が撒かれ、ある日を境に突然流行し始めることが特徴である。

今回も「ワクチン接種」と同じ、食べるのを拒否すれば〝陰謀論者〟扱いするところまで一気に加速する可能性が高い。

超富裕層にすれば〝飢餓ビジネス〟は利益が世界規模なので、更なる巨万の富を稼げ、日本企業もその恩恵を得ようと、我も我もと「コオロギ（ゴキブリ）食」へまっしぐらの様相である!!

finish blow
⑭

国連と契約している⁉ SDGs＝ゴキブリ食を撒き散らす在日マスゴミの惨状!!

ほとんどの日本人が同意も賛成もしていないのに、「コオロギ（ゴキブリ）食」は安全で、「陸のエビ」と洗脳するTVを筆頭とするマスゴミが後を絶たない。

NHK、朝日新聞系、文春、集英社、産経、東洋経済などが、特集を組んで「コオロギ（ゴキブリ）食安全キャンペーン」を加速させており、国連決議（※国連フォーラムの提案に過ぎない）の「SDGs／Sustainable Development Goals（持続可能な開発目標）」を盾に、水戸黄門の印籠にしながら「SDGs＝コオロギ（ゴキブリ）

食」を巻き散らしている。

その背後を見ると、東京の「アメリカ大使館（極東ＣＩＡ本部）」のラーム・エマニュエル大使が自民党と霞が関に圧力を掛け、在日が支配する「マスメディア」に「コオロギ（ゴキブリ食）をゴリ押しする契約を「国連」と取り交わしていたことが判明した。

完全に茹で蛙と化した日本人は、「国連」を正義の殿堂と阿呆みたいに思い込んでいるが、その正体は「United Nations」、つまり「第二次世界大戦」「太平洋戦争」で日本の敵だった「連合国（軍）」が正体で、アメリカのロックフェラーが天文学的資産で創ったロックフェラーの殿堂である!!

ロックフェラーの本拠地アメリカに本部がある「国連」に、国連契約の「ＳＤＧｓメディア・コンパクト」があり、「ＳＤＧｓ」と主要マスコミが契約を交わしたら、マスコミは何があっても「ＳＤＧｓ」を推進する義務が課せられ反対できない。

そこに「ＳＤＧｓ＝コオロギ（ゴキブリ）食」の仕掛けがあり、在日が支配する自民党が、ビル・ゲイツの指導とエマニュエル米国大使の命令で受け入れた結果である。

日本の在日系マスゴミが、「ＳＤＧｓはＥＵが最も熱心で、北欧がその最先端国!!」と日本人を騙しているが、２０２２年2月の「ウクライナ侵攻」以降、ＥＵ全体で

「ＳＤＧｓ」も「コオロギ食」も冷え切ってしまい、今、こんなバカな契約をするのは「コリアＪＡＰＡＮ」の日本のマスゴミぐらいだ。

ロックフェラーが一刻も早く日本人を根絶やしにしたいのは、ユダヤのレガリアである「三種の神器」と「契約の聖櫃アーク」を皇室から略奪したいからで、既に1億近い日本人に遅延死する「ｍＲＮＡワクチン」を接種させ、更なる遅延死の仕掛けはゲノムの遺伝子操作で仕掛けたコオロギ（ゴキブリ）を食わせることである。

「国連広報センター」には、「コオロギ食はＳＤＧｓの一環で、ＳＤＧｓは国連が決めた世界で守るべきアジェンダです。そのアジェンダに沿って『ＷＥＦ／World Economic Forum（世界経済フォーラム）』が具体的な方策として推進していく」とある。

「ＷＥＦ」とはスイスのジュネーブに本部がある国際機関で、「ＳＤＧｓメディア・コンパクト」のサイトに「参加企業」欄があり、そこに日本のほぼ全てのメディア、特にテレビ局が契約している。

こんな契約をするのは、終戦後、日本を占領したダグラス・マッカーサーの「ＷＧＩＰ／War Guilt Information Program（戦争についての罪悪感を日本人の心に植え付けるための宣伝計画）」による在日を使った日本人支配構造があるからだ。

このアメリカの占領政策に骨の髄まで洗脳された日本人は、アメリカの傀儡の自民党によるロックフェラーのステルス支配により、「コオロギ（ゴキブリ）食」が日本人に気付かれないよう確実に水面下で進められていたのである。

在日シンジケートがＴｏｐを占める日本で、「遅延死ワクチン」の網の目を潜り抜けたヤ・ゥマトを全て殺す「コオロギ（ゴキブリ）食・ＳＤＧｓ」を、現場指揮しているのが、東京港区の「アメリカ大使館（極東ＣＩＡ本部）」のラーム・エマニュエル大使で、帝王と呼ばれたディビッド・ロックフェラーの遺言の「全ての日本人を殺せ!!」の遂行と、天皇徳仁（なるひと）陛下の合法的暗殺を指揮するために送り込まれたスファラディー系ユダヤ人である。

アメリカは、有色人種を皆殺しにしても白人の神イエス・キリストは喜ばれ、アメリカ人の罪を免責するという狂気の啓蒙思想「マニフェスト・デスティニー（Manifest Destiny）」を持ち、極東の黄色い猿を全て殺しても罪悪感を感じない「明白なる使命」「明白な天命」を掲げる国家である。

裏を返せば、ロスチャイルドとロックフェラーはヤ・ゥマト（ヤハウェの民：ヘブライ語）の力を恐れており、各時代の王もあらゆる手段でヤ・ゥマトをこき使い、富を奪い尽くし、未来を奪ってきた。

「イスラエルの人々は子を産み、おびただしく数を増し、ますます強くなって国中に溢れた。そのころ、ヨセフのことを知らない新しい王が出てエジプトを支配し、国民に警告した。『イスラエル人という民は、今や、我々にとってあまりに数多く、強力になりすぎた。抜かりなく取り扱い、これ以上の増加を食い止めよう。一度戦争が起これば、敵側に付いて我々と戦い、この国を取るかもしれない。エジプト人はそこで、イスラエルの人々の上に強制労働の監督を置き、重労働を課して虐待した。』」(『旧約聖書』「出エジプト記」第1章7〜10節)

「ファラオは全国民に命じた。『生まれた男の子は、一人残らずナイル川にほうり込め。女の子は皆、生かしておけ。』」(『旧約聖書』「出エジプト記」第1章22節)」

「さて、ヘロデは占星術の学者たちにだまされたと知って、大いに怒った。そして、人を送り、学者たちに確かめておいた時期に基づいて、ベツレヘムとその周辺一帯にいた二歳以下の男の子を、一人残らず殺させた。」(『新約聖書』「マタイによる福音書」第2章16節)

今度は、国連の支配者ロックフェラーが、地上から全ヤ・ゥマトを消滅させるよう指示したため、アメリカが大和民族のホロコーストを開始している!!

finish blow ⑮

遅延死ワクチン接種をくぐり抜けた日本人2000万人も早く殺せ！とばかりに日本人だけがゴキブリを食わされる!?

国連の「FAO（国連食糧農業機関）」が定めた「食用昆虫類：未来の食糧と飼料への展望（Edible insects: Future prospects for food and feed security）」による「コオロギ（ゴキブリ）食・SDGs」は、ヤ・ゥマトをターゲットにプラニングされた可能性が出てきた。

「FAO」に続く、EUの「EFSA（欧州食品安全機関）」も「コオロギ（ゴキブリ）食・SDGs」を承認したが、それをまともに国際社会の決定と思い込んでいるのは日本人だけだからだ。

戦後の日本人は、大和民族のルールは全て間違いと学校教育やマスゴミ（特にT

Ｖ）に洗脳され、「国連なら信じる」「欧米なら信じる」「アメリカなら間違いない」が骨の髄まで染み込んでいる。
　それは日本を焦土にした薩摩（熊本県）と長州（山口県）の明治政府が「陸海軍部」と一体化した反動で、その諸悪を壊滅してくれたアメリカ軍と、その象徴であるダグラス・マッカーサーを、日本の救世主とし、マッカーサーの言葉なら信じる教育が徹底した。

　今の国連（国際連合）はその時の「連合軍」による国際組織で、ロックフェラーが創設資金を出したため、ロックフェラーの持ち物となる。

　その国連の「機関」が全て置かれているのが、「国際金融ピラミッド構造」を支配するロスチャイルドのスイスで、世界で最も美しい永世中立国（ウクライナ侵攻以降は変わった）の顔をしている。

　さらに、なぜ大和民族だけを狙うプラニングかというと、アメリア国内もＥＵ諸国も、「コオロギ（ゴキブリ）食：ＳＤＧｓ」が決定ではなく、単なる努力目標に過ぎないとし、日本人のように〝世界の決定〟と思い込む阿呆な人間などいないからだ。

　事実、アメリカで「コオロギ食」はほとんど知られておらず、「ＥＦＳＡ（欧州食品安全機関）」が承認したはずのＥＵ諸国内も同様で、日本のマスゴミだけが異様に盛り上げ、「コオロギ（ゴキブリ）食＝世界の常識!!」「世界の流れに遅れる!!」「日本は食糧難に陥る!!」「世界のガラパゴスになる!!」と全マスゴミが、コロナの時と全く同じ「狼少年効果」で喚きたてている。

一方、欧米のマスメディアは少しも報道しておらず、報道してもジョークを交えている程度で、こんなバカな「コオロギ（ゴキブリ）食＝世界の常識」を報道する国はどこにもないということだ。

ＢＢＣ、ＣＮＮ、ＭＳＮＢＣの大手メディアもニュースにしておらず、「コオロギ（ゴキブリ）」を「国連」「ＥＵ」の名で国民に食べさせようとする国は、在日シンジケートがアメリカを介して統治する日本だけである。

日本を終戦直後から支配し続けるアメリカ占領軍による「日米合同委員会（Japan-US Joint Commitee）」の中枢メンバーのアメリカ軍と在日シンジケートにとって、ユダヤのレガリア「三種の神器」「契約の聖櫃アーク」を強奪するには、生き残る日本人は一人でも少ない方がよく、自衛隊員も最終的に邪魔になるため、海兵隊が全滅させるには楽な方がいい。

できれば中国人民解放軍が「台湾侵攻」と同時に放つ日本への数十発の核ミサイルで消滅させた方がアメリカにとって処理が簡単で、日本が核で焦土と化した後、正義を振りかざすアメリカ軍が中国軍を日本列島から追い払うだけで済む。

一方、ビル・ゲイツは、「ダボス会議」で知られ、国連の経済社会理事会のオブザーバーの地位でスイス連邦政府の監督下にある「ＷＥＦ／World Economic Forum（世界経済フォーラム）」でも支配的な立場にあるため、日本の経済界に「コオロギ（ゴキブリ）食：ＳＤＧｓ」を植え付けている。

ビル・ゲイツの「遅延死ワクチン接種」の網を潜り抜けた日本人がまだ２０００万人近く残るため、ビル・ゲイツは東京の「アメリカ大使館（極東ＣＩＡ本部）」と足並みを揃え、ヤ・ゥマトのホロコーストを「コオロギ（ゴキブリ）食：ＳＤＧｓ」によって実行していく。

そうなったら、「ｍＲＮＡワクチン」を含むゲノム遺伝子操作遅延死溶液による遅延死（接種後3〜4年以内）と、ゲノム遺伝子操作による衛生的な「コオロギ（ゴキブリ）食」による死亡で大和民族のほとんどを赤ん坊も含めて地上から消滅でき、後は海兵隊か中国人民解放軍が殺戮すれば済む。

世界中に「ゲノム遺伝子操作溶液」を接種させるには、アレルギー反応死の比率を極端に超えないよう「筋肉注射」が必要で、これが「皮下注射」なら太い血管に一気に吸収され、不純物（ｍＲＮＡ染色体、酸化グリフェン、人工ヒドラ生命体、プリオン蛋白質）が、白血球などキラー細胞が異物として食われ、スグに尿や便で排泄されてしまう。

「ゲノム遺伝子操作ワクチン」が100パーセント殺す〝遅延死誘導溶液〟と分かった時は完全に手遅れにしなければならず、ほぼ3年で死亡するため、ロスチャイルドのイギリスと、ロックフェラーのアメリカは、プーチン大統領を追い込んで一刻も早くウクライナに「戦術核兵器」を使わせ、その連鎖反応で「第三次世界大戦」をEUとロシア（できればイスラム諸国を巻き込み）に展開させることで、核兵器と放射能による大量死によるカモフラージュができる。

返す刀で、習近平にアメリカは核兵器を使ったロシアと同様、中国とも核戦争しないメッセージを示せば、習近平は安心して日本をウクライナと同じと判断、ワクチン接種した日本人と「コオロギ（ゴキブリ）食」でプリオン蛋白質を食べた日本人を核兵器で抹殺してくれ、見事にカモフラージュができる。

では何故「コオロギ（ゴキブリ）食」かだが、「mRNA」の染色体を覆う「プリオン蛋白質（変異系）」が、脳を溶かして「狂牛病」を誘発するのが3～4年、それに合わせるのが「プリオン蛋白質（変異系）」に感染した牛の部位を、消化器官から血液を介して一気に脳に達するからだ!!

「狂牛病」の牛でも特定危険部位の「扁桃」「回腸」周辺の遠位部、「舌」「頬肉」「皮」「脊髄」「脊柱」を避ければ大丈夫だが、「プリオン蛋白質（変異系）」を最初から持つコオロギは全身が危険部位で、それを「パウダー」にされたら絶対に分からない。

それでビル・ゲイツが参考にしたのが、草食性の健康な牛にパウダー状の「牛骨粉」を混ぜて与えた結果、「BSE（狂牛病）」を発症したメカニズムだ!!

日本では、５パーセント未満ならパウダー状の「アミノ酸・他」と表記するだけでよく、「コオロギ（ゴキブリ）パウダー」が莫大な利益を生む国連保障の新ビジネスのため、どこのベンチャーも安心して「牛骨粉」ならぬ「コオロギ（ゴキブリ）パウダー」の大増産体制に入っている!!

finish blow ⑯

ゴキブリの粉末が、調味料アミノ酸に混ぜて広範にバラまかれる!!　官僚も政府も日本人に何をするか分からない時代へ――

ほとんどの日本人は「コオロギは食べない」と考えているが、なぜかコオロギ（ゴキブリ）食ベンチャーは全く動じない……その理由は、巨大な利権が約束されているからだ!!

消費者にとって怖いのは、コオロギ（ゴキブリ）を粉状に磨り潰して乾燥させ、粉末のパウダー状の「調味料」にされたら、膨大な数の食品や加工品に混ぜることが可能になることだ。

その場合、「調味料」として旨味成分の「アミノ酸」に5パーセント未満混ぜるなら、「コオロギ表記」をしないで済むため、スーパーや宅配で届けられる「弁当」、スーパーやコンビニに並ぶ「加工食材」のほぼ全てにコオロギ（ゴキブリ）パウダーが混じる可能性が出てくる。

ただし、チョコレートやクッキーなどに使う場合、「調味料」ではないので「コオロギ表示」は必要で、最も怖いのは、友人宅、グループ、企業、ボランティアで集まった時、「コオロギ表示」があるチョコレートの大袋からバラバラにされて籠に入れられたら、知らない間にコオロギ（ゴキブリ）パウダー入りチョコレートやクッキーを食べることになる。

そこで、少しでもこの業界に詳しい者は、「コオロギ原料にアミノ酸レベルまで分解したものなら大丈夫ですよ!!」と言い、「アミノ酸にアレルギーは反応しないよ!!」

とも言い、「反抗するのはアミノ酸が数百、数千単位で結びついたタンパク質だから関係ないから安心!!」と言ってくることだ。

ひどいのは「たとえばコオロギの体内にあった水分子を抽出してもコオロギとは無関係でしょう!!」「あなたが飲んでる水の一部は以前、虫の体内にあったかもしれませんよ!!」「アミノ酸もそんなものです!!」と、〝まずコオロギ食有りき〟の論法で説明し、圧力を掛けてくることで、アメリカ製「ファイザー」「モデルナ」のｍＲＮＡ（メッセンジャーＲＮＡ）ワクチンを接種させるアッチ側の専門家と全く同じ論法をすることである。

「アミノ酸」に混ぜられる「コオロギ（ゴキブリ）」の殻、つまり甲殻類の外殻部分が強いアレルギーを引き起こすのであり、それは粉にしても同じで、「ＦＤＡ（アメリカ食品医薬品局）」でさえ、その危険性は認めていることで、「甲殻類アレルギーの人はセミ食、昆虫食をするのは避けるべきだ」と警告を発している。

幼児が感染しても平気だった「新型コロナウイルス（ＣＯＶＩＤ－19）」をパニックにまで発展させたのはマスゴミで、遅延死確実なゲノム遺伝子操作で創った溶液を、何が何でも一刻も早く接種させようとしたビル・ゲイツと、今回の降って湧いたように突然の「コオロギ（ゴキブリ）食」の動きは尋常な事態ではなく、日本の土台が狂ったとしかいえない。

要は、全国のベンチャー、大学、メーカーがほぼ一斉に「コオロギ（ゴキブリ）食」に走る異常事態は、全て「ＳＤＧｓ」を達成するためという動機だが、「国連」の決定は独立国が自由に選択するため、日本のような「国連の決定＝法律」では全くなく、そう思わせようとする日本政府も完全に狂っているというしかない。

一見すると、「コオロギ（ゴキブリ）」を原料にする食品は、「アミノ酸」「たんぱく質」「ビタミン」「ミネラル」など、栄養価が高いことは事実だが、そんなことは何も虫に限った話ではない。

食べ物を〝健康食〟というのと同じで、食糧は全て健康のためにとるものだろう。

日本は政治家も官僚もメーカーも一緒になって、消費者に何をするか分からない時代に突入しており、既に手遅れの感はあるが、食品表示に関する法律や規制を強める必要がある。取り敢えず消費者の立場としては、スーパーなどで「冷凍食品」「加工食品」を購入する際、必ず商品に貼られている「原材料表示」「アレルギー表示」を確認せねばならないということだ。

注意点は「調味料アミノ酸」の表示があれば、「コオロギ（ゴキブリ）５パーセント未満」を疑うべきだが、そうするとほぼ全ての食材は購入できない。

しかし、原材料となる「大根」「ほうれん草」「人参」「豆」等は問題なく、「肉」「魚」も基本的に大丈夫、つまり〝昭和の時代〟に戻ることをお勧めするしかないということだ。

便利すぎる時代は、ビル・ゲイツに足元をすくわれるため、水源に毒を巻かれたら水道管を流れて全家屋に毒水が流れ込むのと同じで、極端な例だが井戸水を使うしかないという理屈である。

コオロギ（ゴキブリ）の成分が「醬油」等の調味料に入れられる可能性がある……調味料の場合、前述した通り、成分表示に〝コオロギ〟と記載する義務はなく、〝アミノ酸等〟の表示でいいため、昔ながらの製法で造られるアナログ的〝手作り醬油〟を購入されることを勧める。

コンビニやスーパーの一流メーカーの「醬油」は大量生産のため危険で、ネットを通して昔ながらの製法で日本の大豆に拘る地方の店から取り寄せるべきだろう。

ついでに言うと、「キッ○ーマン」「ヤマ○」等の一流メーカーの大量生産する「醬油」に使われる大豆は、アメリカ製の〝加工大豆〟で、簡単に大量に安く造られていると知るべきで、これからは基本「コンビニ」「スーパー」で食べ物は買えない時代になるということだ!!

finish blow ⑰ ゲノムで大量発生させるコオロギ（ゴキブリ）には、ヒトの脳を溶かす「プリオン蛋白質」が大量に混入している!!

アメリカもＥＵもマスゴミが日本で伝えるほど「ＳＤＧｓ」の「コオロギ（ゴキブリ）食」が浸透しない一方、日本だけが突出して「コオロギ（ゴキブリ）食」一辺倒に走るのは一体なぜなのか？

ほとんどの日本人は、「コオロギ食」を勧める人をただの「際物（きわもの）好き」「下手物好き」の若者に過ぎないと思い込んでいるが、それ自体が既に〝茹で蛙〟ということになる。「コオロギ（ゴキブリ）」を食べる拒否反応を想定しながら、なぜ、大学ベンチャーの「コオロギパウダー工場」がフル稼働どころか、２０２３年度中に生産を10倍規模に増やす目的は一体何が原動力で、どこから資金が集まるのか？

横田基地のアメリカ軍と、在日ＴＯＰが占める霞が関官僚たちによる月2回の「日米合同委員会（Japan-US Joint Commitee）」が、「アメリカ大使館（極東ＣＩＡ本部）」より強い権限で日本人への命令権を持っている。

「統一教会」が地方の自民党岩盤層にガッチリ喰い込み、国政では在日が支配する「自民党」が、国会で法制化し、Ｋ系の「創価学会」の公明党が一部を加工する役目である。

「コオロギ（ゴキブリ）食」に関して自民党は、知らぬ存ぜぬでも今の「食糧庁」が法律の範囲内の５パーセント未満なら〝調味料〟であれば「コオロギ」の表記が不要のため、「コオロギ（ゴキブリ）パウダー」を「調味料アミノ酸・他」と混ぜるだけで、日本人は自動的に「コオロギ（ゴキブリ）」を食べることになるため、大量生産への道筋ができているのである。

自民党が出てくる場合は、現行法で「調味料」以外の「原材料」に〝粉末コオロギ〟を表記する点を改正する時で、「既に国民は調味料としてコオロギを多岐にわたり日常的に接種しており、原材料表記にだけコオロギの表示を義務付けるのは矛盾する」として、圧倒的議席で押し切ってくるだろう。

要は、その時まで自民党は黙っていればよく、法律を変える時だけ出てくればいいということだ。

東京の「アメリカ大使館（極東ＣＩＡ本部）」に凄腕のエマニュエル大使が赴任したことから、「コオロギ（ゴキブリ）食」が一気に動き始め、ワクチン非接種者を残らず殺すロックフェラーの謀略が加速し始めた。

何故なら、工場生産のコオロギには、ゲノムで大量発生させることで、ヒトの脳を溶かす「プリオン蛋白質」が大量に混入しているからである!!

またまた陰謀論を……と言う輩は死ぬまで言っていればいいので相手にする気もないが、幼児が感染しても死ぬことがなかった、「新型コロナウイルス（COVID－19）」の、ビル・ゲイツによるパンデミック騒動に踊らされ、安全も確認されていない「ゲノム遺伝子操作溶液（ワクチン）」の接種者は、mRNA（メッセンジャーRNA）の「人工染色体」を体内に注入されたことになる。

このゲノムワクチンには致命的欠陥があり、「RNA染色体」を人工的にゲノムで創り出す際、ある刺激を与えるとRNAを鞘のように覆う「プリオン蛋白質」が発生し、自然にRNAを守るが、半年でRNAが消滅した後も「プリオン蛋白質」だけは残り続け、ある日、突然、「変異型プリオン蛋白質（PrPSc）」に変貌する!!

それどころか、「変異型プリオン蛋白質（PrPSc）」は細胞のように次々と分裂して大増殖を繰り返し、血液を介して脳と脊髄に運ばれ、その部位の正常な「プリオン蛋白質（PrPC）」と加速的に入れ替わっていく。

結果、ヒトの脳が溶け始め、最終的に狂牛病「BSE（牛海綿状脳症）」と全く同じ「ＣＪＤ（クロイツフェルト・ヤコブ病）」を発症する。

こうなると治療の方法はなく、致死率99・99パーセントの確率で、体中を激しく痙攣させて最後は悶絶死する。

ビル・ゲイツ製母型の「ＣＯＶＩＤ－19」が武漢でばら撒かれ、病死、老衰、交通事故死、殺傷事件死も全て、ロックフェラーの命令で「コロナ感染死」にカウントされ、「ファイザー」「モデルナ」「アストラゼネカ」などのゲノムワクチン（溶液）接種にビル・ゲイツが誘導していった。

だからアメリカのロックフェラー配下の「ワクチン製造企業」に対し、「何が起きても全ての責任から免責する」約束がアメリカ政府によって与えられたのだ。

この時はまだ「筋肉注射」だったが、コオロギパウダーは「変異型プリオン蛋白質（ＰｒＰＳｃ）」を消化器系からダイレクトに脳に運ぶことで、致死性溶液接種を免れた非接種者全員を殺すためビル・ゲイツが動いている。

それは狂牛病の危険部位（脳・舌・髄液）をヒトに食べさせるのと同じで、健全な牛が「牛骨粉」入り穀物を食べて「ＢＳＥ」を発症したことをヒントに、ビル・ゲイツが「コオロギ（ゴキブリ）パウダー」を思いついたとされる。

finish blow ⑱

重大違反多発！大和民族は自らヤ・ゥマトの生命線を切ろうとしている?!

日本人に「ＳＤＧｓ」を大義名分に「コオロギ（ゴキブリ）パウダー」を加工食品に混ぜて食べさせる実行者は、東京の「アメリカ大使館（極東ＣＩＡ本部）」のラーム・エマニュエル大使で、頻繁に自民党本部を訪問するビル・ゲイツと綿密に連動している。

そもそもエマニュエルという男は、スファラディー系ユダヤで「クリントン財団」に属し、ビル・ゲイツと連動する「ＷＥＦ（世界経済フォーラム）」側の男で、日本の「アメリカ大使館」に星条旗と「ＬＧＢＴＱ（性的マイノリティ）」のレインボー旗を掲げる〝反キリスト〟側の人間である。

ヤ・ゥマト唯一の生命線は、欧米型キリスト教の〝ヤハウェ（エホバ）への攻撃〟に協力しないことで、〝大和民族の大和民族のための大和民族による預言〟である『旧約聖書』『新約聖書』に大和民族自身が逆らってはならないことだ!!

第一に「カレンダー」だが、天地創造を記す「月火水木金土日」を選ばねばならず、欧米型キリスト教の「日月火水木金土」なら、大安息の〝福千年（至福年）〟はやって来ないことになる。

この意味は、バチカンが主張する「イエス・キリストは使命に失敗した。ルシフェルにもう一度天地創造をやり直してもらわねばならない」が根底にあり、だから最後に来るべき人類の「福千年」が、へ理屈ではなく実際に消えているのである。

「成人」も大和民族は20歳からだが、18歳成人の白人に合わせてはならず、18歳成人は大和民族にとって『旧約聖書』に違反する罪となる。

古来日本人は、「大宝令」の規定では21歳（数え）から60歳までの男性を正丁（せいてい）として兵役と課税対象者とし、数え歳は生まれた瞬間1歳なので今の20歳が成人となる。

「主はモーセと祭司アロンの子エルアザルに向かって言われた。『イスラエルの人々の共同体全体の中から、イスラエルにおいて兵役に就くことのできる二十歳以上の者を、家系に従って人口調査しなさい。』」（『旧約聖書』「民数記」第26章1～2節）

「ＬＧＢＴＱ（性的マイノリティ）」も欧米型キリスト教会に合わせたり、従ってはならない。

「女と寝るように男と寝てはならない。それはいとうべきことである。」（『旧約聖書』「レビ記」18章22節）

「それで、神は彼らを恥ずべき情欲にまかせられました。女は自然の関係を自然にもとるものに変え、同じく男も、女との自然の関係を捨てて、互いに情欲を燃やし、男どうしで恥ずべきことを行い、その迷った行いの当然の報いを身に受けています。」（『新約聖書』「ローマ信徒への手紙」第1章26～27節）

「聖書」は男性に命じることで女性にも命じるので、「LGBTQ（性的マイノリティ）」はLesbian（レズビアン＝女性同性愛者）、Gay（ゲイ＝男性同性愛者）、Bisexual（バイセクシャル＝両性愛者）、Transgender（トランスジェンダー＝心と体の性が異なる人）、Queer／Questioning（クィアまたはクエスチョニング＝性的指向・性自認が定まらない人）は、重大違反で「神の王国」を継承できず、永遠に孤独で過ごさねばならない。

同様に、「コオロギ食」を推し進める自民党に従ってはならない。

「すなわち、いなごの類、羽ながいなごの類、大いなごの類、小いなごの類は食べてよい。しかし、これ以外で羽があり、四本の足をもち、群れを成す昆虫はすべて汚らわしいものである。」『旧約聖書』「レビ記」第11章22～23節)

「ＩＳＢＥ／International Standard Bible Encyclopedia（国際標準聖書百科事典）」は、バッタ目の昆虫は清浄既定の「כָּשֵׁר（カシェル）」の範疇とするが、近年の「デビッド・グジク牧師：David Guzik」の注解が、「locust（イナゴ）、cricket（コオロギ）、grasshopper（バッタ）等はカシェルと断定、国連はこの牧師の異説をキリスト教の範疇として「コオロギ食」を開始したことになる。

日本のクリスチャンは、イエス・キリストは白人で、ユダヤ人も白人で、欧米キリスト諸国が20歳を18歳に切り替え、コオロギも食べていいなら「聖書」を発展させた結果として従うが、現実は違い、白人種（ヤフェト）からはアブラハムは出ておらず、黄色人種のセムからアブラハムもヤコブもヨセフも出て、イエス・キリストも出ている。

「セムは、アルパクシャドが生まれた後五百年生きて、息子や娘をもうけた。アルパクシャドが三十五歳になったとき、シェラが生まれた……（中略）……テラが七十歳になったとき、アブラム、ナホル、ハランが生まれた」（『旧約聖書』「創世記」第11章11～26節）

アブラムは後のアブラハムで、信仰の父とされ、ヤ・ゥマト（大和民族）の祖でもある……なぜなら、アブラハムから「ＹＡＰ＋」の遺伝子が始まったからだ。

「これがあなたと結ぶわたしの契約である。あなたは多くの国民の父となる。あなたは、もはやアブラムではなく、アブラハムと名乗りなさい。あなたを多くの国民の父とするからである。」（『旧約聖書』「創世記」第17章4～5節）

基本的に白人種はアブラハムの子孫ではなく、たとえ「ＹＡＰ＋」が希薄に含まれていても非常に遠い傍系で、直系中の直系である大和民族から見たら水みたいに薄い。

だから、白人種に『旧約聖書』『新約聖書』を冒瀆（ぼうとく）させては断じてならず、白人の教会に従う日本人は結果として罰を受け「ゲノム遺伝子操作溶液の接種」「プリオン蛋白質入りコオロギ」を接種して、自ら地上から消え去るのである!!

finish blow
⑲

植物は感染性プリオン蛋白質と結合、維持、摂取、伝搬する！最新の科学論文は、恐ろしい結果を伝えた!!

食用に供される「コオロギ（ゴキブリと近種）」は「養殖」「工場生産」だから安全とは詐欺師の論法で、「DS／Deep State（闇の政府）」を牛耳るロックフェラーのアメリカでは、「GMO／Genetically Modified Organism（遺伝子組換え作物）」が主流ということを忘れてはならない。

だから「GMO穀物」の作付けに「必須アミノ酸」の「リジン」を多量に含む「遺伝子組み換えトウモロコシ」が開発されたが、もちろん、1世代しか実らない「Hybrid（ハイブリッド）」である。

ところが、この「Hybridトウモロコシ」はアメリカ国内ではほとんど売れなかったとされ、理由はリジンが必要なら「サプリメント」で補えば済むからだ。

一方、日本には終戦後から、ちゃぶ台の真ん中に必ず「醬油」「ソース」「味の素」の三種の神器が置かれ、どんなおかずにも、まっ先に「味の素」を振り掛け、醬油をその後から掛けていた。

なぜなら「味の素は」旨味(うまみ)成分のグルタミンソーダが主成分で、その結果、「甘味」「塩見」「酸味」「苦味」に、日本の昆布に含まれる「旨味」が加わることになる。

今ではさらに「辛味」「苦味」も加わるが、日本食が世界を席巻する原動力の「味の素」は、終戦後の貧しい食生活をカバーする日本の知恵から生まれたといっていい。

今もその影響が強く残り、テーブルで「味の素」を振り掛ける代わりに、最初から工場で「調味料：アミノ酸」が含まれるようになった。

そこをビル・ゲイツが見逃さず、健康な牛が「牛骨粉」のパウダーで「BSE（狂牛病）」を発症し、脳と髄が溶けて悶絶死するメカニズムを使い、健康なワクチン非接種者に、「プリオン蛋白質」入りのコオロギを磨り潰した粉を、日本の法律の5パーセント未満なら「調味料：アミノ酸」に混ぜても〝コオロギ〟と表示しなくても済む抜け穴を利用する。

自民党は「コオロギ（ゴキブリ）食」に対し、セクシー発言の小泉（朴）進次郎や、河野太郎（コオロギ太郎）のような若手に任せておき、その間に反対者もいつの間にか「コオロギ（ゴキブリ）パウダー」の「調理用：アミノ酸」を接種している状況にするつもりだ。

気付いた時は手遅れなのは、ビル・ゲイツ製母型ゲノム遺伝子操作溶液と全く同じである。

アメリカの「ミシガン大学」は、コオロギ（ゴキブリ）食に「ネオフォビア（新奇性恐怖）」で嫌悪感を覚える人間には、原形を連想させないように粉末にしてしまえば解決すると発表、クッキー、チョコレートなど馴染み深い食品に混ぜて提供すれば効果的とする。

現在、日本には「衛生」「アレルギー」はもちろん、欧米から入って来る「輸入品コオロギ（ゴキブリ）食品」の安全性に対する明確な法規制が存在しない（手遅れになるまで、存在させないつもりだ）。

ゲノムは、元から存在する多能性の幹細胞を増やして作る「ｉＰＳ細胞」と違い、遺伝子配列の段階から人工的に設計した細胞や生物を創る技術で、必ず「変異型プリオン蛋白質（ＰｒＰＳｃ）」が付着してくる。

今回、さらに怖ろしい情報を公開せねばならない。

「テキサス大学」の論文「Grass plants bind, retain, uptake and transport infectious prions」は、虫唾（むしず）が走るほど恐しいタイトルで、「植物は感染性のプリオン蛋白質と結合、維持、摂取、伝搬する」である!!

牛が餌としていた草が、「ＢＳＥ（狂牛病）感染」の元凶の「変異型プリオン蛋白質（ＰｒＰＳｃ）」の維持伝達ルートになっている可能性を示唆する恐ろしい研究結果だ。

「ＢＳＥ感染」した牛の排泄物や死体に含まれる「変異型プリオン蛋白質（ＰｒＰＳｃ）」が、牛だけでなく飼育されている環境に生える草や植物を介して感染する恐怖の連鎖を調べた結果である。

彼らはまず、麦の根や葉をプリオンが感染したハムスターの脳抽出液に晒し、よく洗った後、感染性のプリオンが残存しているか否かを調べた結果、「変異型プリオン蛋白質（ＰｒＰＳｃ）」は、感染性を保ったまま、葉や根と強固に結合していたことを確認した。

次に、プリオン感染した植物を別の健康なハムスターに食べさせたところ、直接脳の抽出液を食べさせたのと同じように、感染で脳が溶けてハムスターは死亡した。

このことから、感染した牛の「尿」「糞」「唾液」「血液」を通し「変異型プリオン蛋白質（ＰｒＰＳｃ）」が草と結合、プリオンによる環境汚染を防ぐことは困難と判明した。

成長中の草に「変異型プリオン蛋白質（ＰｒＰＳｃ）」を含む脳エキスを噴霧した

だけで、49日間、草をそのまま成長させ、その根と葉に「変異型プリオン蛋白質（ＰｒＰＳｃ）」が存在するかを調べると、感染性の「変異型プリオン蛋白質（ＰｒＰＳｃ）」は成長している生きた草に保持されていることが確認された。

感染性の「変異型プリオン蛋白質（ＰｒＰＳｃ）」が植物内に摂取され、葉や茎に維持されることが明らかになったことで、「変異型プリオン蛋白質（ＰｒＰＳｃ）」は、たとえ最初は低い濃度でも、植物と動物を出入りしながら確実に細胞分裂を繰り返す中で量を増やしていることが証明された。

たとえ「プリオン分子」が一個でも体内に入れば、体内で「変異型プリオン蛋白質（ＰｒＰＳｃ）」の数は増加し、最初の内は濃度が低く「牛海綿状脳症」が発症しなくても、植物と動物を行き来するうちに、やがて濃度が高くなり致命傷になる。

植物で起きることは、ゲノム操作で創られた「コオロギ（ゴキブリ）パウダー」でも起きるため、アミノ酸に隠して混入されたら最後、コンビニ、スーパー、テイクアウトの食品はもちろん、弁当、駅弁の繰り返しで、確実に脳が溶けてやがて激しく痙攣して悶絶死する!!

ビル・ゲイツに従う「統一教会」の在日支配の「自民党」と、コバンザメのＫ系「創価学会」公明党により、日本人は全員殺されることになる!!

finish blow ⑳

地方創成もゴキブリで！　在日日本政府は「ＳＤＧｓ」を楯に コオロギ（ゴキブリ）パウダーで 日本人殲滅を狙っているのは明らか!!

日本で「コオロギ（ゴキブリ）」を全国民に喰わせる方向性が決定するのは、２０１６年５月20日の第三次安倍内閣が主導した「ＳＤＧｓ」の受け入れからで、当時の安倍（李）晋三首相が本部長にして全閣僚がメンバーとなり、「第１回：持続可能な開発目標（ＳＤＧｓ）推進本部会合」が開催された時である。

同年12月22日、「第２回：持続可能な開発目標（ＳＤＧｓ）推進本部会合」の場で、「ＳＤＧｓ」の実行が決定され、日本は「国連」が提案する２０３０年までに持続可能な社会の実現のため〝国際社会のモデル〟を目指すとし、優れた実績を積み重ねることを世界に向けて宣言する。

その代わりに大きな実行力という責任が伴い、当時の安倍内閣は、「ＳＤＧｓ」関連に９億ドル、30億ドルの取り組み料を払い、４０００億円を投資する決定を下している。

これには、後から「コオロギ（ゴキブリ）食」が加わるわけだが、実は「コオロギ（ゴキブリ）食」が主で、従が「ＳＤＧｓ」という撒き餌構造が正体で、ビル・ゲイツが仕掛けた似非パンデミックの無害な「新型コロナウイルス」を撒き餌に、後から本命の遅延死「ゲノム遺伝子操作溶液接種」が登場、全世界の人口80億４５００万人から5億人まで減らすやり口と全く同じである。

これは「ＳＤＧｓ」を水戸黄門の印籠にし、日本政府主導で「コオロギ（ゴキブリ）食」を含む全取り組みを率先して行うことを意味し、２０１９年末に、自民党が発表した「ＳＤＧｓアクションプラン２０２０」に沿って、日本が率先してリーダーシップをとる立場となった!!

そこに「ＳＤＧｓと連携する「Society（ソサエティー）５・０」の推進」があり、２０１７年11月に「経団連」が7年ぶりに行動企業憲章を改正、その中に「Society5.0（ソサエティー5・0）」の下、「ＳＤＧｓ」に経済界全体が本気で取り組むことを宣言、日本のビジネス力をもって「コオロギ（ゴキブリ）食」を含む「ＳＤＧｓ」の実現を目指す仕組みが完成する。

その中に、「ＳＤＧｓを原動力とする地方創生、強靭かつ環境にやさしい魅力的なまちづくり」があり、地方創成を「ＳＤＧｓ」達成を目的に仕組みを替える決定が成され、各地域で〈後付けでコオロギ（ゴキブリ）食〉を含む「ＳＤＧｓ」への決定を遵守、〝地方創生〟を〝コオロギ（ゴキブリ）食〟で実現する流れが決定する。

２０２０年7月17日、自民党主導の「ＳＤＧｓ未来都市」に全国33の都市が選ばれ、内10都市は日本政府が予算を付け、後から来るコオロギ（ゴキブリ）食の「ＳＤＧｓ」を推進、その取り組みは２０１８年から実施された!!

要は、安倍（李）晋三が自民党の最大議席数で推し進めた「ＳＤＧｓ未来都市」に、地域づくりを目指す自治体を選定し、政府として予算でサポートするため、途中で「コオロギ（ゴキブリ）食」からの足抜けは、「ＳＤＧｓ」の名目で金を受け取った以上は許されない。

さらに、「ＳＤＧｓの担い手として次世代・女性のエンパワーメント」の項目があり、なぜ「コオロギ（ゴキブリ）食」に女性が率先して顔を出すかの仕掛けが、「ＳＤＧｓ未来都市」の項目にある「女性の活躍推進」で見えてくる。

さらに「ＳＤＧｓ未来都市」でカバーされる〝キーワード〟に「子供の貧困対策」「次世代の教育振興」「健康経営の推進」が定められている点がずる賢い。

「子供の貧困対策」にこそ高蛋白質を有する「コオロギ（ゴキブリ）食」が必要で、「次世代の教育振興」のために徳島県小松島市の「県立小松島西高校」で、「コオロギ

（ゴキブリ）パウダー」入り「かぼちゃコロッケ」を生徒らに食べさせた教育現場の動機も垣間見えてくる。

「健康経営の推進」の正体も、「コオロギ（ゴキブリ）パウダー」を「SDGs未来都市」における健康を盾に、全経営者に「コオロギ（ゴキブリ）パウダー」を使う義務化が決定していることになる!!

2022年2月に発表された「IGES（公益財団法人：地球環境戦略研究機関）」の「SDGs進捗レポート」に、「SDGs」に全企業が従う決定を日本企業経営陣の95パーセントが把握、従業員の77パーセントが把握し、2021年の37パーセントから一気に倍増、2021年に〝テレビ特集〟なども組まれ、「SDGs」が全企業に広まった年としている!!

どおりで、徳島県内ベンチャーの起業を応援したい趣旨で、地元TV局が学校と事前に打ち合わせし、「県立小松島西高校」のコオロギ給食を取材したはずである。

さらに言えば、徳島県の産学協働ベンチャー企業「グリラス」が主導することで、2023年以内に当時の月30キロの「コオロギ（ゴキブリ）パウダー」の生産を、月10トンの生産を目指すのは、彼らに「SDGs」という印籠があり、日本政府と経済界がそれを推進する決定を下しているからに他ならない。

巨大食品メーカー各社が「ＳＤＧｓ」という撒き餌を信じ、「ファイザー」「モデルナ」「アストラゼネカ」などのゲノム遺伝子操作溶液ならぬ「コオロギ（ゴキブリ）パウダー」を、全食品の「調味料：アミノ酸」に混ぜることを２０２３年から本格的に始めるため、気づいた時は手遅れになることも、今世紀最大の人道主義者とされるビル・ゲイツで御馴染みの手口である。

奈良県で射殺された安倍（李）晋三は、後の「コオロギ（ゴキブリ）食」への基盤もつくっており、この男が死んでから、３年間も足止めされていた「文化庁」の京都移転が一気に通り、天皇徳仁（なるひと）陛下の〝京都帰還〟が本格的に動き始めたことを思えば、安倍（李）晋三が日本最大の〝獅子身中の虫〟だったことが分かる!!

finish blow ㉑

持続可能社会は大儲けの手段！　在日自民党はコオロギ（ゴキブリ）食「ＳＤＧｓ」の次は「ＥＳＧ（ファンド）」で世界規模の投資を呼び込む!!

日本は、「コオロギ（ゴキブリ）食」を世界トレンドの「ＳＤＧｓ」と絡み合わせることで、２０３０年モデルのＴＯＰ１を目指そうとしているが、他にも「ＥＳＧ」

との組み合わせを画策している。

日本政府がどれだけ本気で持続可能世界を実現させるかを、欧米の白人中心の「投資家」に見せ、その「投資ビジネス」を加速させたがっているのだ。

英語の頭文字の羅列に価値を感じる日本人が増える中、今度は「ＥＳＧ」という別の横文字が登場し、２０３０年までに世界の解決すべき課題を「Environment（環境）」「Social（社会）」「Governance（企業統治）」の観点から実行することで、世界中の大金持ちの投資家の「ＥＳＧ」に配慮した日本への投資を激増させる戦略で、それを「ＥＳＧ投資」という。

これは短期より中長期的企業価値を持つ「ＳＤＧｓ達成」に貢献する日本企業が、優先的に海外の投資家からの「ＥＳＧ投資」の対象になるシステムで、「コオロギ（ゴキブリ）食」推進企業、ベンチャー、大学の競争原理を働かせる役目を持っている。

さらに「ＳＤＧｓ」と「ＥＳＧ」を組み合わせた複合的観点から、「コオロギ（ゴキブリ）食：ＳＤＧｓ」が努力目標を達成した場合、「コオロギ（ゴキブリ）食：ＳＤＧｓ＆ＥＳＧ」となり、世界規模の「ＥＳＧ投資」が２５００兆円を超え、日本の国家予算１００兆円などとは桁違いの投資が、持続可能な世界＆社会に貢献する「コオロギ（ゴキブリ）食：ＳＤＧｓ＆ＥＳＧ」の推進企業、大学、ベンチャー等々に入り、最終的に自民党に「政治献金」として転がり込む仕掛けである。

自民党がその栄誉に浴するには、日本人全員の協力が不可欠で、「ＳＤＧｓ」を「国連」に約束し、世界中に国家目標に掲げた以上、日本国民は「コオロギ（ゴキブリ）食：ＳＤＧｓ＆ＥＳＧ」の国際公約に協力せねばならない!!

貪欲な白人の投資家は、一見すると環境問題や国際社会に貢献したい顔をしているが、その裏は〝大儲けの手段にＥＳＧ投資を行う〟という別の顔があり、「ＳＤＧｓ」も金儲けの手段に過ぎず、極論すれば白人種の投資家の目的達成のために、日本人は日本政府が決めた「コオロギ（ゴキブリ）食：ＳＤＧｓ＆ＥＳＧ」に全面協力する図式となる。

世界最大手のアメリカの投資運用会社「BlackRock Inc.（ブラックロック）」が、２０１９年2月に、「２０１２～18年投資リターン」について、「ＥＳＧファンド」が「従来型ファンド」を上回ったと発表、持続可能な世界を考慮しない企業は、欧米からの投資を得るのが難しい時代が来るとし、「持続可能な世界に考慮する企業に投資した方が儲かるようになる!!」と発表した。

これは、日本が真っ先に手を挙げた「ＳＤＧｓ」と、後から抱き合わせた「コオロギ（ゴキブリ）食」に協力しない日本企業、団体、国民は、世界中から投資を呼び込みたい日本経済・日本全体の足元を危うくする〝国賊〟扱いになることを意味する。

もちろん、これは日本の、まず「コオロギ（ゴキブリ）食」ありきから始まったことで、たとえその目標が駄目でも、法律の範囲の5パーセント未満のコオロギ・パウダーなら、「調味料：アミノ酸・他」の表記で済むため、どうせ誰も気づかない前提で推し進められていく!!

そもそも欧米主導の「SDGs」自体が問題とはいえ、McDonald'sのストローが、ビニールから紙になったり、ナイキやGAPの綿製品が、枯葉剤入りではないオーガニックコットンで作られるのは悪いことではない。

が、「コオロギ（ゴキブリ）食：SDGs&ESG」に匹敵するほど馬鹿げた「SDGs」が、ほとんど詐欺といえるエコカー「EV／Electric Vehicle（電気自動車）」や、空気を右から左へ動かす「排出権」のやり取りで、EUが利ザヤを取って大儲けできる「パリ協定」が詐欺の基本になっている。

「パリ協定」は、日本が欧米に騙された「京都会議」がベースの詐欺協定で、トランプ（前）大統領などは、あまりの詐欺ぶりに馬鹿馬鹿しくなり、「パリ協定」から離脱する表明をした曰く付きの世界詐欺だ。

「パリ協定」の骨子は、「地球温暖化」という大嘘に踊らされて編み出した〝詐欺ビジネス〟で、地球は昔から「温暖化」と「小氷期」を数え切れぬほど繰り返しており、飛鳥昭雄が小学生の頃は、今と同じ「地球温暖化」の真っ最中で、台風の勢力の「カテゴリー6」を超える〝カテゴリー7〟が1959年の「伊勢湾台風」とされ、筆者が買った科学書籍には以下のことが記されている。

【年寄りたちの話を聞いていますと、二、三十年前に比べて大分気候が暖かくなっているということですが、確かに最近の四、五年間に地球は暖かくなって来ています。

それに対して、はっきりとした学問的な直接の記録はまだ出ていませんが、地球が暖かくなってきているという間接の証拠として、〈①北氷洋の氷が少なくなってきている〉〈②世界各国の氷河がだんだん小さくなった〉〈③カナダやフィンランドなどでは、昔よりもずっと北の地方にまで、麦を栽培することができるようになった〉等があげられています。】（『新百科物知り小辞典』1958年初版）

その後、気候は徐々に冷え始めて元に戻り、最近、再び温暖化しただけで、地球は比較的短期でこのサイクルを繰り返しているようだが、原因は太陽にあり、大気の0・03パーセントに過ぎない二酸化炭素が原因ではない。

「SDGs」のエコビジネスの象徴「EV（電気自動車）」の電気は、化石燃料を燃やす「発電所」の電力が使われ、さらに、ＥＶの「エコビジネス」は停電（特に長期停電）を全く想定していない。

そもそもＥＵで「電気自動車」を救世主にする理由は、その前に起きたエコなディーゼルエンジンを謳った「クリーンディーゼル詐欺」の誤魔化しのためで、産官学が一体となったディーゼルエンジン詐欺をＥＵが免罪にした誤魔化しに、「ＥＶ（電気自動車）」への全面シフトを苦し紛れに始めたに過ぎない。ほぼ同じ頃、中国も凄まじい工場のばい煙を誤魔化せる「ＥＶ（電気自動車）」にシフトしたが、一時的に誤魔化せるだけで、今も中国からの粒子状物質（ＰＭ10、ＰＭ２・５）は僅かしか減っていない!!

何度も言うが「数字は嘘をつかないが、詐欺師はその数字を使う」

「コオロギ（ゴキブリ）食：ＳＤＧｓ＆ＥＳＧ」の最先端国家を目指す日本政府は、もはや完全に狂っているので従う必要はなく、むしろ「変異型プリオン蛋白質入りコオロギ」を食べたら最後、遅かれ早かれ「狂牛病」を発生、「変異型プリオン蛋白質入りゲノムワクチン」接種者と同じ、脳が溶けて最後は激しく痙攣して悶絶死することになる!!

finish blow ㉒

コオロギ食に続々参入の秘密！　国連の「ＳＤＧｓメディア・コンパクト」と契約した日本企業、ＴＶ局などのマスゴミは、目標を達成しないと、「ＥＳＧ投資」を受けられない!!

「ＳＤＧｓ（持続可能な開発目標）」の正体は、世界を牛耳るロスチャイルドとロックフェラーの「イルミナティ【後期】／Illuminati（Late-day）」による「我々の世界を変革する（Transforming Our World）」で、そこに「グレートリセット（Great Reset）」が隠れる、英米の仕組んだ〝科学カルト〟である!!

在日が支配する自民党は、ロックフェラーが支配するアメリカの犬に過ぎず、日本人を「コオロギ食（ゴキブリ）食」に従わせることが目的で、今の構造は、イエス・キリストの時代の、超大国のローマ帝国が異民族のヘロデ王を使い、ヤ・ゥマトを支配した構造と瓜二つである。

要は、欧米の白人にとって都合がいい「ＳＤＧｓ」の後付けで、ビル・ゲイツが乗り込んできて「コオロギ（ゴキブリ）食」を抱き合わせたことが達成できなかったら、「国連」の「ＳＤＧｓメディア・コンパクト」と契約した日本企業、マスゴミ、ＴＶ

局の重大な違反行為となり、結果的に経済制裁が与えられることになる……

それは実質的な経済制裁ではなく、「ＳＤＧｓ」に協力的ではない企業、ベンチャー、団体に対し、「Environment（環境）」「Social（社会）」「Governance（企業統治）」の観点から、欧米中心の投資ファンドからの「ＥＳＧ投資」を受けられなくなり、結果として制裁を受けることになる。

だからこそ逆に、日本は自民党がそんな真似を許さないはずという〝逆ザヤ的信用〟から、今も銀行、経済団体、ベンチャー、大学、マスゴミが一体となり、「コオロギ（ゴキブリ）ビジネス」に次々と参入しているのである。

「ＳＤＧｓ」がカルトというのはそれで、欧米の白人中心に推し進められる「似非エコビジネス」の仕組みを見れば、日本の「コオロギ（ゴキブリ）ビジネス」の仕掛けが見えてくる。

別の例で示すと分かりやすいが、「化石燃料」を使った場合に排出されるCO_2の量3兆トンを、白人たちは〝カーボンバブル〟と呼び、何度も言うが地球の大気のCO_2が占める量はわずか0・03パーセントに過ぎない。

そのどこがバブルかの話が伝わらないのが「カルト」の証拠で、カルトの定義は様々あるが、基本的に嘘吐きということだ!!

全くの大嘘だった「環境ディーゼル車」の仕掛けがバレ、世界的に大失敗したEUは、大慌てで誤魔化した「パリ協定」（2015年）で、電気自動車に大きくシフトすることで、嘘をきれいごとでカモフラージュした!!

「パリ協定」で合意された排出できるCO_2の量は3兆トンの3分の1で、如何にもエコを装うが、嘘を嘘で誤魔化した白人の発想が怖ろしいのは此処からだ。

CO_2を排出する残り3分の2の化石燃料を使う、多くのアジア、南アメリカ、インド、アフリカ各国の産業資産が、EUの白人たちの嘘で、富裕層の資産を運営する「投資ファンド」から見た〝使用できない資産〟となり、一夜で価値が暴落する「座礁資産」になったことだ!!

大金持ちの白人投資家の代表ともいえる「巨大投資ファンド」は、日本人が欧米に騙された「京都会議」まで、化石燃料に投資して巨大な利益を上げていたが、嘘の「地球温暖化」を掲げ空気を右から左へ動かすだけで大儲けできる「排出権ビジネス」で、EUは巨万の利益を得、それに飽き足らず、ディーゼル車の誤魔化しで「パリ協定」を立ち上げ、さらに「SDGs」の〝詐欺ビジネス〟で国際支配できる仕掛けである。

これを象徴する出来事が「パリ協定」後の2016年、ロックフェラーが自社の

「エクソンモービル」の株式を売却したことで、ロックフェラーの次の確実な〝巨大ターゲット〟がどこかが噂になった……。

その直後、「アメリカ海軍」が石油燃料から脱却し、海水のプラズマ電気分解による「水素燃料」に切り替える決定を下し、ロックフェラー財団は大丈夫かとなるが、ディビッド・ロックフェラーの遺言の「日本人を今スグに皆殺しにしろ!!」で垣間見える。

前々からロックフェラーは日本列島の〝海底資源〟である「レアメタル」「レアアース」「マンガン団塊」「メタン・ハイドレード」、さらに「チムニー(熱水噴出孔)」から排出される天文学的な量の黄金、それどころか最近では、茨城県沖の史上最大クラスの埋蔵量の石油が発見され、日本列島はロックフェラーにとって「Great Reset(グレートリセット)」後の巨大資産となった!!

日本列島には「国定公園」「国立公園」のため、採掘できない金鉱床が多くあり、火山噴火や大地震の度に次々と金鉱床が生まれる「黄金の島」で、ロックフェラーはその全てを奪うつもりで日本に何度もビル・ゲイツを派遣し、軽井沢に日本再占領後の別荘を建てさせた。

特に小笠原列島の「青ヶ島」の海底に無数にあるチムニーの噴出口から、1トン当たり17グラムの金という世界ＴＯＰクラスの高濃度の金が確認され、その範囲は東京ドーム１０００個分の広さで、これも「Great Reset（グレートリセット）」後にロックフェラーが頂戴する!!

話を元に戻すと、欧米の「巨大投資ファンド」は、表向きはきれいごとの「ＳＤＧｓ」に従わない企業から投資を引き上げることを「Divestment（ダイベストメント）」といい、詐欺と嘘の連発でも世界を支配したい西側諸国は、欧米の最大の敵となるブラジル（Brazil）、ロシア（Russia）、インド（India）、中国（China）、南アフリカ（South Africa）の「BRICs（ブリックス）」や、インドを中心に経済成長が著しい「Global South（グローバルサウス）」に対し、今の内に「ＳＤＧｓ」＆「ＥＳＧ投資」で足枷（あしかせ）を嵌（は）める気でいる。

欧米先進国は「ＳＤＧｓ」で故意に通常の「Investment（投資）」を衰退化させ、御都合主義の「ＳＤＧｓ」に対し、「ＡＳＥＡＮ（東南アジア諸国連合）」を含む有色人種各国に、２０３０年までに「白人の、白人による、白人のための世界支配」への〝嘘八百ＳＤＧｓ〟に従えば、「ＥＳＧ投資」の「Divestment（ダイベストメント）」を受けられると迫っている。

これが、ロスチャイルドとロックフェラーの「Power-Broker（パワーブローカー）」

による、「ＮＷＯ／New World Order（新世界秩序）」への「Great Reset（グレートリセット）」の正体で、日本だけ在日支配の自民党とビル・ゲイツにより、日本列島から日本人を一掃するため、ほぼ３年で脳が溶けて遅延死する「ビル・ゲイツ製母型ゲノム遺伝子操作ワクチン」に続き、同じく脳が溶ける「変異型プリオン白質入りコオロギ（ゴキブリ）食〞が決定している!!

finish blow ㉓

もう手遅れか!?　ＪＡＬがコオロギ（ゴキブリ）粉末入りハンバーガー、ニチレイも出資で、ヤバイパウダー入り食品がどんどん出回る事態！

ビル・ゲイツ製母型ゲノム遺伝子操作ワクチンの、ゲノム編集した「ｍＲＮＡ」の「スパイクタンパク質【ウイルスがヒトの細胞へ侵入するために必要なタンパク質】」の染色体に、ある刺激を与えると自然に脂質の膜ができ、それが最終的に脳・髄を溶かす「変異型プリオン蛋白質（ＰｒＰＳｃ）」になり、ワクチンを接種した人間は一生を全うできず、接種後３～４年で死亡する!!

そのコオロギ版がゲノムで創造された場合、コオロギ（ゴキブリ）を直接食べなくても、パウダー状に磨り潰された「アミノ酸」（5パーセント未満ならコオロギと表示する必要がない）にされたら、日本のほとんどの加工食品の「調味料」に使われ、コンビニ、スーパーどころか、ファミレスのハンバーグや、全国チェーンの牛丼に「コオロギ・パウダー」が使われてしまう。

既に「JAL（日本航空）」傘下の格安航空会社「ジップエア　トーキョー」は、2022年7月から「コオロギ粉末入りハンバーガー」などを機内食に採用し、食のフロンティアカンパニーで知られる大手「株式会社ニチレイ」も、2022年夏から昆虫食開発の新興企業に出資しており、拡大の意味で既に日本の消費者には手遅れの感がある。

なぜなら、既に「ゲノム編集コオロギ」は誕生しており、その個体【第0世代】は、姿が悍（おぞ）ましいのか、写真には〝モザイク〟が掛けられたままだ。

さらに、ゲノム編集で脱皮をコントロールして巨大化させ、合理的に大量の高蛋白質を生み出すことも可能になった。

そこで、「日本消費者連盟」と「遺伝子組み換え食品いらない！　キャンペーン」が協力し、「コオロギ食」を推し進める「徳島大学」のベンチャー企業「グリラス」が行う「コオロギのゲノム編集研究」について〝公開質問状〟を2022年に送っていたので、その全文を公開することにする。

1：2020年に良品計画は貴社のコオロギを使用したコオロギせんべいを販売しました。この際、良品計画は「ゲノム編集コオロギで」はないと表明しました。今後、良品計画に「ゲノム編集コオロギ」を提供する予定はありますか。

【回答】ゲノム編集技術により品種改良を施したコオロギ【以下「ゲノム編集コオロギ」という。】について、現時点で商品化の目途は立っておりません。株式会社良品計画向けのコオロギせんべいに用いられる原料コオロギについても、現時点において、ゲノム編集コオロギを用いる具体的な計画や予定はございません。

2：貴社オリジナル商品として都内のコンビニでプロテインバーとクッキーの販売を開始しましたが、これに「ゲノム編集コオロギ」を用いる予定はありますか。

【回答】ご質問1に対する回答と同様に、弊社のオリジナル商品に関しても、〝現時点〟において、ゲノム編集コオロギを用いる具体的な計画や予定はございません。

3：コオロギ生産工場を徳島県美馬市に設置しましたが、今後、ゲノム編集コオロギを生産する予定はありますか。

【回答】ご質問1に対する回答と同様に、現時点において、弊社美馬ファームでゲノム編集コオロギの飼育や加工を行う具体的な計画や予定はございません。

4：ゲノム編集技術を用いて〝コオロギの脱皮ホルモン〟を制御し、過剰脱皮を促し巨大化させる遺伝子操作に取り組んでおり、さらに低アレルゲン・コオロギの開発にも乗り出していますが、今後さらに新たなゲノム編集コオロギの開発に取り組む予定はありますか。

【回答】現在、弊社では、「国立研究開発法人新エネルギー・産業技術総合開発機構【通称NEDO】」が実施する「研究開発型スタートアップ支援事業／シード期の研究開発型スタートアップに対する事業化支援」【通称ＳＴＳ】に採択されたことを受け、ゲノム編集技術を用いたコオロギの品種改良に関する研究に取り組んでおります。

同分野における今後の研究課題については、事業上の情報であることから、回答を差し控えさせていただきます。

5：食用コオロギとしては、国産コオロギとフタホシコオロギで開発を進めていますが、ゲノム編集コオロギもこの2種類で開発しますか。それともコオロギの種類を増やしたり、他の昆虫を用いる予定はありますか。

【回答】現在、弊社では、〝ゲノム編集技術を用いたコオロギの品種改良〟に関する研究はフタホシコオロギを対象に取り組んでおります。

現時点において、研究の対象を、フタホシコオロギ以外のコオロギや他の昆虫に広げる具体的な計画や予定はございません。

6：量産したコオロギは、主に飼料用として用いる予定ということですが、今後、食用と飼料用ではどちらに主力を置く予定ですか。

【回答】弊社事業における食用と飼料用の供給バランスは、各セグメント向けの弊社の供給可能量や、それぞれの市場動向等を踏まえ、適時に調整していくことになると考えております。

7：ゲノム編集技術を応用した食品の安全性について、どのように考えていますか。また、実際にどのように安全性を評価した上で市場化を図ろうと考えていますか。

【回答】現時点において、ゲノム編集コオロギの商品化の目途は立っておりませんが、今後、これを商品化していくこととなった場合は、「所管行政庁」等の指示に則り、安全性の確保等に真摯に取り組むとともに、商品を手に取られる消費者の方々に対しても、安心・安全に資する適切な情報の発信に努めて参ります。

finish blow ㉔

どうせたどればビル・ゲイツのカネで動くだけ！ ゲノム編集コオロギ（ゴキブリ）について徳島大学のベンチャー企業へ公開質問状！

２０２２年、「日本消費者連盟」と「遺伝子組み換え食品いらない！　キャンペーン」が、ビル・ゲイツが日本で推進する「コオロギ食」の中核、「徳島大学」のベンチャー企業「グリラス」が研究する「コオロギのゲノム編集研究」に対し〝公開質問状〟を送った続きを公開する。

８：コオロギの場合、工場や研究所から逃げ出す可能性が大きく、繁殖力も大きいため、生物多様性への影響は大きいといえます。具体的な漏出防止対策を教えてください。逃げ出した際の対策についてもお答えください。また、生物多様性への影響はどのように評価されますか。漏出対策や環境影響評価について、第三者の監査を受けていますか。

【回答】ゲノム編集技術を用いたコオロギの品種改良に関する研究に取り組んでいる弊社研究所においては、ゲノム編集を施したコオロギの飼育に際し、「遺伝子組換え生物等の使用等の規制による生物の多様性の確保に関する法律」【平成十五年法律第九十七号】及び「研究開発等に係る遺伝子組換え生物等の第二種使用等に当たって執るべき拡散防止措置等を定める省令」平成十六年文部科学省・環境省令第号】の規定に従い、同省令別表第四に定めるＰ１Ａレベルの拡散防止措置を講じております。
現時点において、ゲノム編集コオロギの商品化の目途は立っておりませんが、仮に、今後これを商品化し、大量に飼育することとなる場合は、所管行政庁をはじめとする専門家の指導を仰ぎつつ、ゲノム編集コオロギが飼育施設外に逃げ出すことがないよう、万全の措置を講じて参ります。

９：これまでは通常のコオロギを用いた食品の販売ですが、ゲノム編集コオロギを用いた際には、ゲノム編集についてどのように表示しますか。表示するとすれば、コオロギの出荷先に対してどのように徹底しますか。

【回答】現時点において、ゲノム編集コオロギの商品化の目途は立っておりませんが、仮に、今後これを商品化していくこととなった場合は、その時点における〝関係法令〟を遵守した上で、消費者の皆様の適正な商品選択に資するよう、ゲノム編集に関する適切な情報提供の方法について検討して参ります。

10：オフターゲットに関してはどのように調査していますか。

【回答】ゲノム編集候補配列は、オフターゲット候補配列に対して3塩基以上の相違配列を保持するような十分に特異性が高い配列を選択しています。その上で、オフターゲット候補に対して解析を行い、オフターゲット候補配列に意図しない変異が組み込まれていないか確認しています。今後も、オフターゲット解析の有効な手法については、検討を深めて参りたいと考えております。

11：オフターゲットについての最終的な判断は、全ゲノム解析で行うしかありません。貴社は全ゲノム解析を行いますか。もし行わないのであれば、その理由を示してください。

【回答】弊社のフタホシコオロギは、野生種を累代に渡り飼育し系統としているもので、様々な遺伝子背景を持つことから、均一のゲノム情報を保持しておりません。

また、日々の飼育の中でも、微小な塩基の変異は自然に発生していると考えられます。

このため、全ゲノム配列解析を実施したとしても、それにより得られた結果がゲノム編集の影響を反映しているか判別する術がないことから、全ゲノム配列解析の実施は予定しておりません。

12：もし全ゲノムを解析した場合、データ【遺伝子の変化とその評価】を公開する予定はありますか。もし公開しないのであれば、その理由を示してください。

【回答】ご質問11に対する回答の通り、全ゲノム解析の実施は予定しておりません。

13：オンターゲット上の染色体破砕について、どのように評価する予定ですか。もし評価しないのであれば、その理由を示してください。

【回答】弊社としては、ゲノム編集を実施することによりオフターゲット領域に染色体破砕が生じるという事例は承知しておりませんが、今後、そのような可能性も含めて、情報収集に努めて参ります。

14：エピジェネティックな異常に関して、どのように評価する予定ですか。もし評価しないのであれば、その理由を示してください。

【回答】弊社としては、ゲノム編集を実施することにより意図しないエピジェネティックな異常が生じるという事例は承知しておりませんが、今後、そのような可能性も含めて、情報収集に努めて参ります。

15：モザイクに関して、どのように評価する予定ですか。もし評価しないのであれば、その理由を示してください。

【回答】ゲノム編集を実施した当代個体【第0世代】は、ゲノム編集の技術上、必然的にモザイク個体となります。

他方、弊社では、次世代に編集形質が受け継がれてモザイクではなくなった個体のみを系統として維持することを予定しており、モザイク個体が系統として維持されることはありません。


ゲノムコオロギ（ゴキブリと近似種）の大量生産を前提に、遺伝子操作コオロギ創造を繰り返す「徳島大学」と「グリラス」が、紋切型の「政府や法律に従います」を繰り返すことにある種の確信めいた疑いを抱いている。

在日系が圧倒支配し半島系の「統一教会」と根の部分で一体化する「自民党」は全く信用できないし、「政教分離」の憲法違反の半島系「創価学会・公明党」は、未だ池田大作生存を宣言するカルト教団で信用できる代物ではない。

これら在日系が作る新たな殲滅的法律は、アメリカのロックフェラーの手先、ビル・ゲイツが創る法律と考えるべきと知れば、おのずと「グリラス」の向かう方向性が予見できる!!

finish blow ㉕

「遺伝子組み換えではありません」が表示禁止、「無添加表示」も禁止、変異型プリオン蛋白質コオロギパウダーバラ撒きへの伏線が続々と……

茹で蛙と化してビル・ゲイツの「遅延死ワクチン」を接種し続ける日本人の目が、プーチン大統領の侵攻に対するアシュケナジー系ユダヤ人のゼレンスキーによる「ウクライナ劇場」を観賞する間、遺伝子組換え表示制度が２０２３年４月１日の「四月馬鹿（エイプリルフール）」から新しくなった。

「ｎｏｎ－ＧＭ（non-genetically modified）」とは、酪農・畜産飼料も含む「遺伝子組み換えではありません」のｎｏｎ（ＮＯ）の意味で、その表示が必要でなくなった……というより、「表示禁止」になったのである。

それは「ゲノム編集表示」どころか「無添加表示」さえ、非科学的で厳格ではないという理由で自民党によって禁止となった。

これを「ＧＭ非表示制度」といい、自民党はそれを〝表示の厳格化〟の名目で推進するが、消費者の選択の自由を侵害する国賊的制度で、それを警告しても、寄らば大樹のあやかり世代の若者層と多くの自民党支持者、「統一教会」が支配する地方の自民党岩盤層には一切通じない。

今回の自民党による改悪は、〝混入ゼロ〟の場合でしか「ｎｏｎ－ＧＭ表示」を認めず、違反すれば摘発されるため、どの食品メーカーも怖くて表示ができなくなった。

一方、アメリカでは、悪名高い大手化学製薬会社「モンサント社」が開発した合成牛成長ホルモンの一種で、乳牛用の成長ホルモン剤「ｒＢＳＴ」を投与した牛の牛乳・乳製品を食べると、乳癌が7倍、前立腺癌が4倍の発症リスクがあるとする論文が学会誌「Science, Lancet」で暴露されたため、アメリカの全国的消費者運動に火がついた!!

バーモント州では、「ｒＢＳＴ使用」を表示義務化しようとしたが、「モンサント社」が阻止を図って提訴、一方、「ｒＢＳＴ未使用」の意味の〝rBST-free〟の任意による「表示」にも、必ず「使用乳と未使用乳には成分に差がない（No significant difference has been shown between milk derived from rBST／rBGH -treated and untreated cows.)」の注記をすることを、「モンサント社」の弁護士が「ＦＤＡ（食品医薬品局)」に圧力を掛けて義務付けさせた。

「ＦＤＡ」は「ＢＳＴ（牛成長ホルモン)」は、通常の牛の生理過程で生成されるもので、人工的に製造された「ｒＢＳＴ（合成牛成長ホルモン）」も人体に悪影響はないという立場を取っていたが、それは「新型コロナウイルス（ＣＯＶＩＤ－19）」のスパイク蛋白質をゲノム編集した「ゲノム遺伝子操作ワクチンｍＲＮＡ」も同じとし、「モデルナ」「ファイザー」「ビオンテック」等のゲノムワクチンを承認した過程とも同じである。

ところが、アメリカの消費者は負けなかった。

「アイスクリーム」「ヨーグルト」を製造する乳業会社４社が合同で消費者と一体となり、「ｒＢＳＴ（合成牛成長ホルモン）」を使用しない生乳から製造された乳製品に、その旨を表示できないのは、〝消費者の権利の侵害に該当する〟として、イリノイ州を訴えた結果、「ｒＢＳＴフリー」という表現をしないことを条件に、ある司法決着が図られた。

それは、製品に直接「rBST-free」を印刷するのではなく、シールやラベルに「ｒＢＳＴ未使用」を貼る法律の抜け穴が見つかり、このことで逆に「ｒＢＳＴ（合成牛成長ホルモン）」を使用していないことが、より明確に消費者に分かりやすくなり、結果、「モンサント社」は「ｒＢＳＴ」の権利を売却するに至った。

今回の決定は、遺伝子組み替え食品等の表示方法のあり方に関する今後の論議にも影響を与えるものとみられ、茹で蛙状態が1億近い日本人に、根の段階から「統一教会」と一体化する在日支配の自民党と、半島系が支配する創価学会・公明党が手を緩めるとは到底思えない。

「GM非表示制度」どころか、その次に用意される「non‐GMO」、つまり「GMO（Genetically modified organism）」の意味の、遺伝子組み換え作物ではない「GMO Free」の記載も日本では「GMO非表示制度」となって表示できなくなる!!

これは、遺伝子操作と組み換えで、ゲノム編集された「コオロギ（ゴキブリと近種）」にも対応されるはずで、人工的に大量生産される工業型コオロギには、間違いなく染色体を覆う「プリオン蛋白質」が満杯で、それを粉末にすることで刺激を受けた「変異型プリオン蛋白質（PrPSc）」が大量に発生した「コオロギパウダー」が完成する。

「変異型プリオン蛋白質（PrPSc）」は熱処理しても活性を失わず、蛋白質なのに乾燥しても自己増殖していく。

自民党は、ビル・ゲイツの指導で、遺伝子組み換えコオロギ入りと表記しなくても構わない段階を用意している!!

在日系自民党が創価学会・公明党と一緒に、ロックフェラーの使い魔のビル・ゲイツの命令で、大和民族を「狂牛病」の牛骨粉と同じやり方で脳を溶かし、抹殺する底意があることを全く見抜けないのが茹で蛙の証拠である。

ゲノムコオロギ(ゴキブリと近似種)の大量生産を前提に、遺伝子操作コオロギ創造を繰り返す「徳島大学」と「グリラス」が、紋切型の「政府と法律に従います」を繰り返す理由は、「遺伝子組み換えゲノム編集コオロギ」の表記をしないで済む「GMO非表示制度」がすぐ目の前に来ているからである!!

finish blow 26

コオロギは女性に毒、流産、不妊を誘発！ だからこそビル・ゲイツは強引に、金の力を使って、押し進めるのだ!!

「生活クラブ」は、正式名を「生活クラブ事業連合生活協同組合連合会」といい、日本全国を股に掛ける「生協」のブランド名で、国産、無添加、減農薬の安心食材を掲げ、特に国産素材中心の安心食材と、生活用品を届ける全国組織で、食品添加物や農薬使用に厳しい基準を設ける連合会を組織する。

一例として、豚肉について、日本の米育ちの三元豚を使用し、〝遺伝子組み換え〟

や収穫後の農薬散布の心配がない穀物飼料に、国産の飼料用米を配合したものを与えて飼育しているとある。

２０２３年からの「ｎｏｎ－ＧＭ（遺伝子組み換えではない・非遺伝子組み換え）」の表記が日本で禁止されると、「統一教会」と在日系が圧倒支配する自民党の影響下で、「遺伝子組換えでない」の表示できる条件が厳しくなり、違反すると食品メーカーが懲罰を受ける脅しが罷り通ってくる。その突破口を、「生活クラブ生協」は、アメリカの「ベックス・ハイブレッド社」「ＣＧＢ社」との長期契約で見出した。

その二社は、アメリカの消費者が恐れる「遺伝子組み換え・ゲノム操作トウモロコシ」ではなく、アメリカ産遺伝子組み換えでない「ｎｏｎ－ＧＭトウモロコシ」の長期種子供給協定を結び、食の安全を守ると表明した。

この協定締結により、２０２３年以降3～5年の間に「生活クラブ」の畜肉類の飼料に使われる種子開発・供給が継続されることになったという。

「生活クラブ」は、次世代とその先の人類と環境への影響が未だ不明の、「種」の独占を招く〝遺伝子組み換え作物〟を拒否する姿勢を表明、万が一やむを得ず使用する場合は、必ず〝情報公開〟すると表明した。

これまで日本では、「ＧＭＯ」という表記では消費者に伝わりにくいため、一括表示事項欄に、日本語で【遺伝子組換えでない】【非遺伝子組み換え】【遺伝子組換えでないものを分別】等と記載、遺伝子組換え原料が含まれる可能性があるものは【遺伝子組換え不分別】と表記してきた。

安全性が確認されたという〝遺伝子組換え農産物〟や〝遺伝子組換え加工食品〟については、「ＪＡＳ法」「食品衛生法」に基づき表示ルールが定められ義務化される一方、【遺伝子組換えでない】表記は、遺伝子組み換え食品・加工品に対し著しい誤解を与えるとして禁止された。

今回の「生活クラブ生協」の取り組みは、法律違反になり兼ねない「ｎｏｎ－ＧＭ」を製品に表示せず、連合体の「遺伝子組み換え技術が使われていません!!」の絶対的企業イメージが信用を生むという戦略だ!!

このことは、日本の今後の対応についての重要な示唆で、消費者が拒否し、ホンモノを生産する農家と結びつけば、企業をバックに政治的に操られた〝安全もどき〟は否定され、危険なものはほとんど排除できる!!

当然、「ゲノム遺伝子操作コオロギ肉骨粉（パウダー）」などは論外で、むしろゴキブリを食わせるようなコンビニ、スーパー、ファミレスに行かない行動で企業とメーカーの儲けを大激減させれば、ビル・ゲイツの侵略と対抗できることになる。

アメリカの消費者は「ｒＢＳＴ不使用」を買う運動が定着している一方、アメリカの酪農家の30パーセントは「ｒＢＳＴ」を牛に使用し、大量の牛乳と乳製品を生産しており、これが日本に輸入されているため要注意である。

一方、自民党傘下の「ＳＤＧｓカルト」と化したベンチャーと大手企業は、「コオロギフードでサステナブルな社会づくりへの参加を広げたい♪」「昆虫食スタートアップ：エコロギーの挑戦♬」と意気盛んで、小泉（朴）進次郎の「セクシー路線」へ一直線のようで、なにしろバックに「国連」が付いているので勝利は確実とみている。

案の定、コオロギパウダー大量生産に踏み切った某ベンチャーは、自社の取り組みを〝模擬国連〟とし、生産をカンボジアで行い、多くの食品工場などから出る「残渣」を雑食性コオロギのエサに活用することで、年間84トンの「フードロス削減」で「ＳＤＧｓ」にも貢献していると強くアピール。主流になりつつある「ＳＤＧｓ」に忠実なベンチャーと大手企業に、欧米の富裕層の資産を運用する巨大ファンドから「ＥＳＧ投資」を受けることを狙っているのは明らかだ。

一方、やはりというか、ＴＯＰの重役陣を在日が支配するＴＶ局を含むマスゴミは、こぞって「欧米ではコオロギ食が受け入れられています!!（欧米ではワクチン接種に皆が並んでいます）」「アメリカでもコオロギ食が全州で浸透中!!（アメリカではコロナ患者で溢れています）」と全く同じ一方的見解で煽っている。

コオロギ（ゴキブリは近似種）食は世界の主流で、21世紀の新食糧と現（うつつ）を抜かし、小泉流セクシーに感化される若者層に言っておくが、コオロギは「漢方」では微細な毒とされる一方、女性には完全な毒で赤ん坊が流れ、長期で使えば妊娠できない体になるため、ビル・ゲイツが喜んで推し進める理由も分かる。

なにしろ奴の目的は世界人口削減にあることから、これがゲノムで製造されたコオロギの場合や、別の系統でコオロギが食べる残飯に「変異型プリオン蛋白質」が大量に混入されていたら最後、「変異型プリオン蛋白質（ＰｒＰＳｃ）」満載のゲノム・コオロギ・パウダーを毎回様々な形で食べることで、消化器系を介して筋肉注射より早く脳に「変異型プリオン蛋白質（ＰｒＰＳｃ）」が運ばれ、「ＢＳＥ（狂牛病）」と全く同じプロセスで脳が溶け始める!!

要は「膨大な数の消費者」VS「在日自民党＋白人富裕層ファンド資産受け入れ企業」の闘いになり、消費者が反対することでコオロギ（ゴキブリ）パウダーを倉庫に溢れさせれば、彼らに勝ち目はないということになる!!

finish blow ㉗

米国で日本人父娘射殺！ 斎藤教授は狂牛病、変異型プリオン蛋白質の専門家だった!!

１９９６年5月8日午前午前1時過ぎ（現地時間）、アメリカのカリフォルニア州サンディエゴの海岸沿いにあるラホヤ市で、「ＵＣＳＤ／University of California, San Diego（カリフォルニア大学サンディエゴ校）」の斎藤綱男教授（46歳）と長女の斎藤留理（13歳）が射殺された。

彼らの車が自宅前に停車したとき、暗闇で待ち構えていた犯人が近づくや、瞬く間に二人を射殺、斎藤教授は運転席で胸部を数発も撃たれて即死、逃げ出した娘は6メートル離れた場所で数発を受けて射殺された。

銃声で隣近所が起きたときは、既に犯人の姿は掻き消えていた……使われた拳銃は３８０口径（３８０インチ）の半自動拳銃「グレンデルＰ12」と推測され、数発で止めを刺し、逃走の素早さから殺しの専門の仕業とされたが、未だに事件は解決していない。

妻の斎藤静江は、南仏ニースで静養のため旅行中で、警察は二人の殺害はプロの仕業と考えている。

病理学者でアルツハイマー病の世界的権威だった斎藤教授は、「ＤＮＡ複製」の分子生物学の研究で博士号を取得、「アルツハイマー病とＣＪＤ／Creutzfeldt-Jakob disease（クロイツフェルト・ヤコブ病）」の関係における専門家だった。

言葉を変えれば、「ＢＳＥ（狂牛病）」の原因である、脳と髄を溶かす「変異型プリオン蛋白質（ＰｒＰＳｃ）」の世界的研究者で、この日、斎藤教授はアルツハイマーの原因を、アメリカの多国籍バイオ化学メーカー「モンサント社」の農薬が関係するという発表を行う前夜で、リン酸に紛れ込ませた異常な「ｔａｕ」と呼ぶ「微小管会合タンパク質」の存在を発見していた。

同じ頃、有機農業経営者で、畜舎で使う有機リン系殺虫剤の「ＰＨＯＳＭＥＴ（ホスメット）」が、ＢＳＥの原因と突き止めたジョン・マーク・パーディの家が全焼、「モンサント社」と争う彼の顧問弁護士が謎の交通事故で死亡し、「ＣＪＤ（クロイツフェルト・ヤコブ病）」の権威で、新事実を暴露する予定だったＣ・ブルートン教授も交通事故で死亡する。

２カ月前の１９９６年３月、カルバニズムで起きる「Ｋｕｒｕ病（狂牛病）」の調査を通じ、長い潜伏期間を経て発症する致死性「slow virus（スローウィルス）」の研究者で「ノーベル生理学医学賞」を獲得したダニエル・カールトン・ガジュセックも、ある日突然、FBIによって別件逮捕される。

これら「モンサント社」を巡る「変異型プリオン蛋白質（PrPSc）」を共通の接点に、「HHMI／Howard Hughes Medical Institute（ハワードヒューズ医学研究所）」と「CIA」の関係が指摘され、国家的陰謀が囁かれ始める。

結果的にアメリカの悪の代名詞「モンサント社」は、2018年6月、ドイツの「バイエル社」による買収と吸収により、取り敢えず悪名企業の名だけは消滅したが、技術だけは確実に残された。

「BSE（狂牛病）」を誘発したイギリスでは、家畜の牛の成長を早める目的で、政府が認可した「牛骨粉（肉骨粉）」を与えた結果、世界中で大問題になるが、イギリスの「ケント大学」のアラン・コルチェスター教授と、「エンジンバラ大学」の獣医学部のナンシー・コルチェスター教授は、週刊医学雑誌『The Lancet（ランセット）』（2005年9月）で、BSEの起源は「CJD（クロイツフェルト・ヤコブ病）」という新しい仮説を提唱した。

1960〜1970年に、イギリスは数十万トンの哺乳類動物由来の死体の様々な部分と全骨を輸入し、多くの肥料や飼料としたが、その多くがバングラディシュ、インド、パキスタンからで、インドは医学用の人骨輸出国で知られ、ヒトの骨をアメリカやパキスタンにも輸出していた。

インドとパキスタンでは「死体ビジネス」が横行し、ヒンズー教徒は死体を川に捨てる習慣があり、イギリスが輸入した様々な死体や骨に、動物だけでなくヒトの死体もかなり含まれていた。

１９６５年、インドで最初の「ＣＪＤ（クロイツフェルト・ヤコブ病）」が報告され、１９６８年〜97年までに69例のヤコブ病患者の報告があり、当時のインドの劣悪な環境から、その数は氷山の一角に過ぎないとされる。

そうなると、「ＣＪＤ（クロイツフェルト・ヤコブ病）」で死んだヒトの死体から流れ出た「変異型プリオン蛋白質（ＰｒＰＳｃ）」が混じった草を食べた牛が、「ＢＳＥ（狂牛病）」を発症、それが肉骨粉となってイギリス全土に拡大したと推測される。

どこまで正しいかは不明だが、ジョン・コールマン教授は、アメリカとイギリスでＢＳＥの原因となる「ウイルス生物化学兵器」をヒトに感染させる研究が進められていたと指摘している。

「プリオン蛋白質入りｍＲＮＡ遺伝子操作溶液」……つまり、スパイクと外装だけの疑似ウイルス（ワクチン）の登場である!!

finish blow ㉘
マイナンバーカードはブースター接種で死んだ日本人のデータを収集するために進められている!?

脳や髄に多数存在する「正常型プリオン蛋白質（ＰｒＰＣ）」に、ヒトの手が加わるゲノムで創られたＤＮＡ、ＲＮＡの染色体は、人工的に操作した染色体のままでは非常に脆く霧散するため、ある刺激を与えて「プリオン蛋白質（ＰｒＰＣ）」が染色体を覆うようにする。

問題は、その人工染色体が半年しかもたずに消えた後、蛋白質の鞘が「異常型プリオン蛋白質（ＰｒＰＳｃ）」に変異し、それが、細胞のように勝手に分裂を繰り返しながら自己増殖し、血液を介して脳や脊髄に到達すると、「正常型プリオン蛋白質（ＰｒＰＣ）」に憑依し、次々と破壊して脳と髄を溶解させる。

結果、牛の骨が混じった「肉骨粉」を食べた牛が感染する「ＢＳＥ（狂牛病）」と同じ、脳が溶ける「ＣＪＤ（クロイツフェルト・ヤコブ病）」を起こし、記憶喪失、性格異変、卒倒、激しい痙攣を経て確実に死に至り、現代医学では治癒の方法がないとされる。

ロスチャイルドとロックフェラーの手先のビル・ゲイツが、アメリカの「ＦＤＡ（アメリカ食品医薬品局）」と「ＣＤＣ（アメリカ疾病予防管理センター）」を支配下に置き、国連の「ＷＨＯ（世界保健機関）」を使って推し進めた「ｍＲＮＡワクチン」も、ゲノム遺伝子操作で人工的につくったワクチンのため、ゲノム製メッセンジャーＲＮＡも「異常型プリオン蛋白質（ＰｒＰＳｃ）」に変異し、接種後3年ほどで脳が溶けて死亡する。

それでも接種しない人間に、ビル・ゲイツは国連の「ＦＡＯ（国連食糧農業機関）」を抱き込み、人口増加（世界人口を5億人まで減らすにも拘らず大嘘をつき）に備えて「昆虫食」を認可させ、最終的に「コオロギ（ゴキブリと近似種）食」へ持っていき、清潔をカモフラージュに工場内でゲノム編集用「大量生産型巨大コオロギ」を増産、それを狂牛病と同じ「肉骨粉（パウダー）」にすることで全ての食材に混ぜ、「異常型プリオン蛋白質（ＰｒＰＳｃ）」をヒトの消化器系から直接脳と髄へ運ばせる戦略を、科学的詐欺の「ＳＤＧｓ」を使って推し進めている。

在日系が支配し、半島系「統一教会」と根の部分から合体する「自民党」は、北朝鮮系カルト「創価学会」の公明党とともに、河野太郎の「マイナンバーカード」の推進で、全医療データーと一体化させる理由は、「ゲノム遺伝子操作溶液（遅延死ワクチン）」の〝ロット〟の追跡を容易にするからだ。

「遅延死ワクチン」の容器には、ロットが穿（うが）たれ、この「ゲノム遺伝子操作溶液」は、何時、どこで誰が接種し、どんな副作用を発症し、何時、どこの病院で死んだかを、「マイナンバーカード」で全て追跡できるのである。

日本人を支配する在日系自民党は、自分たちの主人である東京の「アメリカ大使館（極東ＣＩＡ本部）」を経て、ロックフェラーに報告する際、「マイナンバーカード」にどんな不具合が起きても、国民無視で急いでいるのは、接種後3年目を迎える今、日本人をどれだけ殺したかのデータが欲しいからだ。

欧米では、こんなバカな真似を許すような国はなく、イギリスでさえ「マイナンバー」は廃止されているため、先進諸国では何も考えない自民党命の〝茹で蛙〟で溢れる日本人だけである。

「新型コロナ（ＣＯＶＩＤ－19）ワクチン」と称する「ファイザー」「モデルナ」「アストラゼネカ」等々の「ロット」を医療データに直結させることで分かる、「遅延死ワクチン」のブースター接種の何回目で死んだか、何と何を「交互接種」したか、交互順はどうなって死んだか等々のデータをロックフェラーが自民党に求めている。「マイナンバーカード」と全医療データを直結させれば、茹で蛙はどうせ何が何だか分からないまま死んでいく。

そのために「保険証と一体化」「運転免許証との一体化」を河野デジタル大臣が喚いているのである。

ただし、例えば「ファイザー」にしても「モデルナ」にしても、最初の部分に別の数字の「ロット」があり、大きくは病院関係者用、政治家用、消防警察用、軍人用、一般人用とロットが分かれているらしく、おそらく「ｍＲＮＡ染色体＋酸化グラフェン＋人工ヒドラ生命体＋他」「ｍＲＮＡ染色体＋酸化グラフェン」「酸化グラフェン＋人工ヒドラ生命体」「ｍＲＮＡのみ」「酸化グラフェンのみ」等々に種類分けされているとしか思えない。

最大の問題は、ＲＮＡ染色体が自然界のウイルスの16倍もあるため、その〝空き容量〟に様々な仕掛けができることだ……

メッセンジャーＲＮＡによって「免疫遺伝子破壊で徐々に確実に殺す・免疫不全でがんを急激に増やす・基礎疾患にダメージを与える」ことはもちろん、別の空き容量に「血管内蛋白質異常ホース状構造体の成長で肺梗塞、心臓に到達して心筋梗塞・大動脈破裂、脳に到達して脳梗塞（脳溢血を含む）・くも膜下出血を起こす」等々。
特に「酸化グラフェン」は原子レベルのカッターのため、スマホを使ったり、5Gに体が晒されたら血管内を激しく動き回ることで、血管内細胞を剥離させたり、一体化して血管を切り裂くことになる。

それ以外にも、女性の子宮に移動し、妊娠できない子宮へ遺伝子変換させたり、神がつくったヒトの遺伝子ではない子供を産む遺伝子操作（遺伝子組み換え）も仕組まれ、接種者に与えられる救いは死ぬだけという運命が待ち構える。

その次に登場するのが在日の小泉（朴）進次郎で、次期総理大臣に最も近い男の宣伝文句で「コオロギ（ゴキブリ）食」推進のため、有権者の前にセクシーに登場する。

finish blow ㉙

異常型プリオン蛋白質を不活性化する酵素を明治製菓が発見。特許化されたが、もちろん握り潰されている！

世界の医学界は、脳や髄に存在する「正常型プリオン蛋白質（ＰｒＰＣ）」が変異し「異常型プリオン蛋白質（ＰｒＰＳｃ）」になったら最後、「ＢＳＥ（狂牛病）」と同じ「ＣＪＤ（クロイツフェルト・ヤコブ病）」を発症、記憶喪失、性格異変、卒倒、激しい痙攣を経て、最後は脳と髄が溶け落ち確実に死に至り、現代医学では完治どころか治療の方法もないとされる。

当然、ゲノム編集される清潔な工場で培養される「巨大コオロギ（ゴキブリ）」を磨り潰し、粉末のパウダーにしてしまえば、肉骨粉ならぬ「異常型プリオン蛋白質（ＰｒＰＳｃ）パウダー」ができあがり、何の根拠もない詐欺科学「ＳＤＧｓ」との一体化で、世界中の人間にビル・ゲイツは食べさせようとしている。

ところが、世界は法的に厳しいために中々騙されないが、在日自民党命の〝茹で蛙〟の日本人なら簡単に騙せることから、筋肉注射より早く「異常型プリオン蛋白質（ＰｒＰＳｃ）」を消化器系で脳に届かせ、女も子供も乳幼児も皆殺しにできる。

ところが、２００２年、日本ではある菓子メーカーが「異常型プリオン蛋白質（ＰｒＰＳｃ）」の不活性化に成功しており、特許まで獲得していたことが判明した。

それが「明治製菓」で、国立研究開発法人「農業・食品産業技術総合研究機構（動物衛生研究所）」と共同で研究した〝ある酵素〟が「異常プリオン蛋白質（ＰｒＰＳｃ）」を消滅させることが分かったのだ。

当時、イギリス発の「ＢＳＥ（狂牛病）」が世界中でパニックを起こしていた時期で、原因物質の「異常型プリオン蛋白質（ＰｒＰＳｃ）」の〝高感度検出方法〟と〝不活化技術〟の開発が急がれていた。

日本では、「動物衛生研究所」が、「明治製菓」の協力で「狂牛病」の組織と所持菌株を収集選別した結果、今まで不活性化が不可能とされた「異常型プリオン蛋白質（ＰｒＰＳｃ）」を強力に分解する〝バチルス属の菌株１株〟を発見したのである!!

さらに、同菌株が生産する酵素「ケラチナーゼ」「プロテアーゼ」の一種の酵素科学的特性も明らかになり、「特許」が認められることになる!!

同酵素は「異常型プリオン蛋白質（ＰｒＰＳｃ）」以外にも、羽毛等の成分「ケラチン」「コラーゲン」等の〝難分解性蛋白質〟も分解する特性を有することも判明した。

同研究成果により「異常型プリオン蛋白質（ＰｒＰＳｃ）」に汚染された外科器具、歯科器具を容易に洗浄することが可能となる世界的発見のはずだった……

が、アメリカ（ロックフェラー）から自民党と厚生労働省に圧力が掛かり、未だに「明治製菓」の特許権が応用できず握り潰されたままである!!

２００８年、「九州産業大工学部」（福岡市東区）の応用微生物学の満生慎二准教授も、「異常型プリオン蛋白質（ＰｒＰＳｃ）」を短時間で分解できる新酵素を発見した。

満生准教授は、衛生陶器メーカーに勤務中、民家の浴場から約４千種のカビを採取、人の表皮や毛髪に含まれる「ケラチン」など分解困難なタンパク質を餌にする〝好アルカリ性放線菌〟を発見した!!

「九州大学」では、「ＢＳＥ」を発症したハムスターの脳の「異常型プリオン蛋白質（ＰｒＰＳｃ）」の溶液に「好アルカリ性放線菌」が作る酵素を加え、摂氏60度で最も活性化させた結果、約3分で「異常型プリオン蛋白質（ＰｒＰＳｃ）」を完全に分解できた!!

ただし、満生准教授のやり方では「正常型プリオン蛋白質（ＰｒＰＣ）」まで分解してしまうため、そのままでは治療として使えない。

案の定、２００８年からアメリカのロックフェラーに関わる大学から触手が伸び、治療法は無理でも医師が使う医療器具の洗浄に使えるはずだが、自民党と厚生労働省が積極的でない中、２０２１年春から「ファイザー」「モデルナ」「アストラゼネカ」等の「ゲノム遺伝子操作ワクチン」が次々と国民に接種され、ゲノム操作で必ず発生する「異常型プリオン蛋白質（ＰｒＰＳｃ）」により、接種後3〜4年以内（早い接触者は即死）に、世界中で何十億もの人の脳が溶け悶絶死する明日がやってくる。

噂だが、ロスチャイルドとロックフェラーの一族は、「明治製菓」の特許を勝手に応用、万が一の場合、自分たちは助かるよう準備しているという……。

finish blow ㉚

世界人口の17パーセントの白人が植民地政策で83パーセントの有色人種を搾取してきた時代が一挙に崩れ始めた!?

「第二次世界大戦」の戦勝国（連合軍）が創設した「国際連合」の中核の「常任理事国（戦勝国）」は、アメリカ、イギリス、フランス、ロシア（旧ソ連）、中国の主要五カ国だが、今や「民主主義圏」と「権威主義圏」に分裂、「アメリカ＋イギリス＋フランス」VS「ロシア＋中国」に分かれ、フランスがその中間の微妙な位置にある。

これを「民主主義体制（30パーセント）」VS「権威主義体制（70パーセント）」と見れば今の世界の常識が見えてくる。

以前にも申し上げたが、白人はロシアも含め世界人口の17パーセントしかおらず、彼らが世界の主導的地位にいて、植民地政策で83パーセントの有色人種を搾取してきた。

だから、アメリカにキンタマを握られた日本人と違い、インド、東南アジア、アラブ（イスラム）諸国、アフリカ、南アメリカ、中央アメリカは、欧米諸国を全く信用しない。

言葉を変えれば、アメリカのバイデン大統領支持は世界の15パーセントしかおらず、ロシアのプーチン大統領と中国の習近平支持（もしくは友好的）が85パーセントを占めている。

最近のフランスの動向にしても、マクロン大統領の多くの発言から見て、明らかにアメリカとイギリスと違う路線を選択し、となると国際情勢は「アメリカ＋イギリス」≠「フランス」≠「ロシア＋中国」がさらに如実化し、フランスが両勢力のイニシアチブ（主導権）を握る立ち位置を目指している構図が見えてくる。

EU諸国を見ても右傾化が進み、アメリカ国内は政治が分裂寸前の有様で、今や「欧米型民主主義」の劣化が著しいのは、「民主主義＝資本主義」だからである。

その資本主義が末期に来ており、資本主義発祥国のイギリスと、基軸通貨を支配する超大国アメリカの限界が来ていることと無縁ではない。

これは「国際金融銀行制度」を支配するイギリスのロスチャイルドと、デジタル通貨決算のドル札不要で基軸通貨から滑り落ちる寸前のアメリカのロックフェラーの喘ぎが、「イルミナティ【後期】／Illuminati（Late-day）」の詐欺同然の「ＳＤＧｓ（持続可能な開発目標）」による「Great-Reset（グレートリセット）」なのである!!

ロシアのプーチン大統領は、その意味から「イギリス（ロスチャイルド）＋アメリカ（ロックフェラー）」と正面切って闘う世界唯一の指導者で、中国の習近平にはそんな勇気も知識もなく、共産主義で世界を支配したいだけの男である。

ロスチャイルドの金融王国は、中間層の消滅で貧困層が激増、日本の銀行を見ても中小企業への融資より、個人貸付（サラリーマン・ローン）で利益を得るしかない有様で、超高速デジタル社会では、アメリカの銀行を見ても、スマホがあれば1日で銀行が倒産する時代になった。

そんなロスチャイルドとロックフェラーが企むことは「第三次世界大戦」を勃発させ、世界をガラガラポンで跡形もなく創り直すしかなく、世界人口も自分たちがコントロールできる5億人と設定している。

その5億人まで激減させるため、プロデューサーの下で「企画立案」「制作現場指揮」「運営」等を行うディレクターがビル・ゲイツで、「ウクライナ」を「第三次世界大戦」の導火線にするピエロ（道化師）役が、ウクライナ人ではないアシュケナジー系ユダヤ人のゼレンスキーという構図である。

今の一連の出来事は、ロスチャイルドとロックフェラーが生き残るユートピア建設のためのカモフラージュ（目くらまし）に過ぎず、プーチン大統領は逆にそれを利用して大ロシア復活を目論むプレイヤーで、「Power-Game（パワーゲーム）」のプロディューサーかつ、「ＮＷＯ／New World Order（新世界秩序）」を目論む「Power-Broker／パワーブローカー」がロスチャイルドとなり、横目でロックフェラーの動きを見ながら慎重に「核兵器」の駒を進めているのがプーチン大統領の状況である。

一方、何でも自民党命の日本人は、背後から「遅延死ワクチン」を打たれながら「ＳＤＧｓカルト」一直線に「コオロギ（ゴキブリ）パウダー」への道まっしぐらの有様で、もはや神が一撃で踏み潰した後、生き残った者らで「シン・大和」を再建するしか道がなくなった!!

以下の聖句は、豚と化したほとんどの日本人に、ビル・ゲイツが放つ「ｍＲＮＡワクチン接種」と「コオロギ（ゴキブリ）パウダー摂取」の顛末と思えば理解しやすい。

「ところで、その辺りの山で、たくさんの豚の群れがえさをあさっていた。悪霊どもが豚の中に入る許しを願うと、イエスはお許しになった。悪霊どもはその人から出て、豚の中に入った。すると、豚の群れは崖を下って湖になだれ込み、おぼれ死んだ。」（『新約聖書』「ルカによる福音書」第8章32～33節）

「聖書」は白人が残した預言書ではなく、大和民族＝ヤ・ウマト（ヤハウェの民：ヘブライ語）が今の大和民族のために残した預言書と分かれば、今の阿呆な日本人の有様を理解できるだろう!!

finish blow ㉛

似非ＳＤＧｓの昆虫食（コオロギパウダー）は、日本人向け！昆虫食スタートアップ企業は10社を超えた⁉

ビル・ゲイツがゲノム編集させた風邪程度の新型コロナウイルス（ＣＯＶＩＤ－19）で世界的パンデミックを演出し、人々の命を守るためと称し筋肉注射式の「ゲノム遺伝子操作溶液（遅延死ワクチン）」接種で、接種開始から3年で世界人口を現在の80億４５００万人から5億人まで減らすにもかかわらず、ビル・ゲイツは人口の激増で起きる世界的食糧危機から人々を守るため、今度は消化器系から脳を溶かす「ゲノム操作巨大コオロギ（ゴキブリ）食パウダー」を「ＳＤＧｓ」詐欺で邁進させている!!

世界の先進諸国の中で、日本はビル・ゲイツ母型の遅延死溶液の接種が開始された

２０２１年末の段階で、主要7カ国（Ｇ７）の中で世界ＴＯＰの75・5パーセントの接種率を達成する〝茹で蛙〟ぶりを示し、１億総白痴化が証明された。

そんな中、在日が圧倒支配する「自民党」は、半島系「統一教会」と完全一体化するために切り離しは不可能で、宗教法人取り消しの処罰はしても、公明党との関係で解散命令までは無理で、結果として中途半端な偽装離婚のごまかしになる可能性がある。

それでも自民党支持者が岩盤層を形成するため、東京の選挙区ではＫ系創価学会・公明党と連立の必要なしと判断、選挙に行かない有権者は投票率低下による自民党応援になり、圧倒的議席数を占める在日自民党は日本人すらもはや恐れる必要はなくなった。

そんな中で「イルミナティ【後期】／Illuminati（Late-day）」のロスチャイルドが傍系のロックフェラーは、ビル・ゲイツが仕掛けた似非ＳＤＧｓを大義名分に掲げる「昆虫食（実態はコオロギパウダー）」を日本人に特化させ、２０２２年の段階で日本の〝昆虫食スタートアップ企業〟は既に10社を超え、２０２３年には多くの大企業も参入して数十億の資金が動いて大盛況を示している。

ビル・ゲイツが「ＦＡＯ（国連食糧農業機関）」の「永久入場許可証」を得るほど

資金援助を行い、その結果による「Edible insects: Future prospects for food and feed security（食用昆虫類：未来の食料と飼料への展望）」の報告書で、「気候変動（CO_2の量は大気全体の0・03パーセントに過ぎないので大嘘で原因は太陽活動）」「人口増加による食糧危機（似非パンデミックによるゲノム操作遅延死ワクチン接種で、これから世界人口が5億人に激減するので嘘である）」の解決手段として、「昆虫食（工場で作られるゲノム編集コオロギの体内でできる高濃度の異常プリオン蛋白質をパウダー化して食わせ、脳を溶かすヤコブ病にする計略）が有力とする。

コオロギ（ゴキブリ）は牛肉や豚肉に比べ、圧倒的に少ない水と飼料、そして土地、CO_2排出で、良質なタンパク質を作ることができるため、「SDGs（持続可能な開発目標）」の救世主とするが、遅延死ワクチンで75億人が悶絶死する2023年以降になり、何が持続可能か笑わせるにもほどがある!!

「アメリカ型合理主義」は常に自然界を滅ぼしてきたはずで、必ずしっぺ返しを受け、多くは何も知らない一般人が報復をまともに受け、超富裕層は高みの見物をする。

にもかかわらず、「国連」といえば何でも信じる今の日本人は茶番民族というしかなく、日本国内で「コオロギ（ゴキブリ）食」を推し進めるベンチャーと大企業は、コオロギ（ゴキブリ）は可食部が多く、そのまま食べたり、粉状・ペースト状に加工して他の食べ物と混ぜたり、幅広い活用が可能と宣言する。

彼らは、多くが行き詰まっている「アメリカ型合理主義」を掲げながら、「農作物残渣や食品廃棄物をコオロギ（ゴキブリ）の餌にすることで、新たなタンパク質（狂牛病発生の変異型プリオン蛋白質）に転換できる」とし、さらに「現状の畜産・養魚用飼料からの置き換えの役割（コオロギ肉骨粉を食べた家畜を介して狂牛病をさらに蔓延させる）を担う」……。

「ＳＤＧｓ（持続可能な開発目標）」に騙される多くの日本企業は、今や失敗策とされる「グローバル化」を信じ、工場生産で光熱費が高い国内ではなく、暖かい東南アジアでコオロギ（ゴキブリ）を飼育すれば、安価で大量のコオロギ（ゴキブリ）を生産できるとし、環境負荷の低い食料と貧困問題解決の「ＳＤＧｓ」を掲げながら、貧困の不衛生な環境での「エコロギー」の駄洒落で盛り上げる。

「コオロギ（ゴキブリ）生産は、いつでも、どこでも、誰でも、簡単に、タンパク質原料を作ることができるのが最大の特徴!!」の謳い文句で、アメリカ型合理主義を盛り上げる!!

欧米が支配する国連の「ＳＤＧｓ」のキャッチさえあれば、コオロギ（ゴキブリ）を地球の未来を拓く無限の可能性と騙せ、単純で扱いやすいテーマのため、多くの日本の食品メーカーから問い合わせが殺到している以上、もはやこの国では自己防衛しか道はない。

全てにおいてビル・ゲイツの指導で動く日本人は、一度死なないと「ホロコースト（絶滅政策）」の仕掛けが見えないようだ。

finish blow ㉜

要注意！「無印」「敷島パン」「JAL」「NTT東日本」がコオロギ（ゴキブリ）パウダーに殺到した企業である!!

「EFSA（欧州食品安全機関）」が新食品「ヨーロッパイエコオロギ」のリスクプロファイルを公表し、「総計して、好気性細菌数が高い」との懸念事項が警告された!!

一方、日本政府の「内閣府食品安全委員会」は、「あれは欧州連合（EU）の専門機関EFSAの文書を紹介しているだけで、内閣府食品安全委員会が言っているわけではない」と「コオロギ（ゴキブリ）パウダー」の安全性を暗にアピール!!

その姿勢に、欧米の富裕層の資産を運用する「巨大投資ファンド」が「SDGs」

に誠実な企業とベンチャーに「ＥＳＧ：環境（Environment）・社会（Social）・ガバナンス（Governance）投資」を優先的に受けたい「無印」「敷島パン」「ＪＡＬ」「ＮＴＴ東日本」などが一斉に名乗りを上げ、日本政府の方向性が確定したと一斉に「コオロギ（ゴキブリ）パウダー」に殺到している。

安倍（李）晋三の長期政権時代、日本は「海外投資」を受ける体質に変換、いくら日本企業が稼いでも海外投資家に儲けの大半が流れる仕組みを築き上げた結果、「イルミナティ【後期】／Illuminati（Late-day）」の支配者ロスチャイルドとロックフェラーが仕掛ける「ＳＤＧｓ詐欺」の「サステナビリティ」に従わない日本企業は、大企業を含め、欧米の「巨大投資ファンド」が正常な投資「Investment／インベストメント」の逆の「Divestment（ダイベストメント）」を決行、「ＳＤＧｓ詐欺」に逆らう企業と大企業から資金を引き揚げると、堂々と脅迫を行っている!!

在日朝鮮人が総理になるのは岸信介、佐藤栄作と続き、中曽根康弘、竹下昇と連綿と続き、特に小泉（朴）純一郎の「郵政改革」という詐欺で日本人の郵貯・簡保の総額３５０兆円がアメリカに還流、消滅した貯金総額は２０２１年度で４５７億円、民営化後の累計で約２０００億円にのぼる。

朴一族によって「ユウチョマネー」だけで２２０兆円が既に消え去り、満期から約

20年が過ぎた「定額貯金」は、〝貯金者〟が権利を失った郵政民営化前の郵便貯金が、２０２１年度に４５７億円と過去最高額に上り、自民党政府の懐から最終的に日本人がビル・ゲイツ母型の「ゲノム遺伝子操作溶液」接種で全員が死亡するため、最終的に日本企業の海外資産を含め、在日自民党を介して全額アメリカに渡る仕組みになっている。

「ＬＢＢＴ（性的マイノリティ）」は欧米キリスト教国の〝白人種優位コミュニティ〟の言葉で、堕落した欧米人のための欧米人による欧米人のための「ＳＤＧｓ詐欺」で、それを法案化しない国は富裕層の資産が投資されないどころか、回収されるという、中国共産党さえ呆気にとられるイギリスのロスチャイルドとアメリカのロックフェラーのやり口なのだ。

その腐り切った欧米を叩き潰そうとしているのがロシアという構図だが、少なくともプーチン大統領は２０２２年12月5日、「ＬＧＢＴ宣伝禁止法」を成立させ、ロスチャイルドとロックフェラー得意の詐欺「ＳＤＧｓ」ともプーチン大統領は戦っており、少なくとも「ウクライナ侵攻」で「ＳＤＧｓ」の誤魔化しが破壊されようとしている。

日本のマスゴミは、まるでロシアが国際社会から孤立し、プーチン大統領は癌で死ぬと一つ覚えのように連呼するが、全てイギリスのロスチャイルドとアメリカのロックフェラーのＦＡＫＥばかりで、アメリカのバイデン大統領の味方はＥＵとオーストラリアなど白人諸国だけで、世界人口比の17パーセント（ロシア人を含む）以下で、他のほとんどの83パーセント近い国は、ロシアと友好国がほとんどだ。

少なくともロシア国民は、「ファイザー」「モデルナ」「アストラゼネカ」等のゲノム遺伝子操作遅延死ワクチンを接種しておらず、愚かな「コオロギ（ゴキブリ）パウダー」も禁止、出鱈目放題の「ＳＤＧｓ」からも守られている!!

一方、ダグラス・マッカーサーによって仕掛けられた「ＷＧＩＰ／War Guilt Information Program（戦争についての罪悪感を日本人の心に植え付けるための宣伝計画）」により、在日に支配された日本人は、後1年ほどで老若男女と幼児を含む１億人ほどが、脳が溶解して地上から消える運命である……

第2部

日本人は否も応もなく正神(ヤハウエ)と悪神(ルシフェル)とのとどめの戦いの中心点に放り込まれている!

final battlefield ①

ここを知っておけ！　世界で起きていること全てはパワーブローカー主催の陣取りゲームに過ぎない!!

「コオロギ（ゴキブリ）パウダー化」で〝ＳＤＧｓ優良企業〟に認定されなければ、欧米の富裕層からの「ＥＳＧ：環境（Environment）・社会（Social）・ガバナンス（Governance）投資」を受けられなくなるどころか、罰則の「Divestment（ダイベストメント）」で、投資資金を回収される日本の食品加工メーカーは、「One World（統一世界）」に生き残れないため、必死になって地獄の滝壺目掛けて突進する。

同様に、下種（げす）にまで落ちた欧米キリスト教諸国の「ＬＧＢＴ（性的マイノリティ）」も、「ＬＧＢＴ」に否定的な日本企業には、富裕層の投資が打ち切られるどころか、欧米での製品販売に規制が掛かり、最終的に輸出ができなくなる。

それは、アメリカの老害バイデンが仕掛ける「ロシア経済制裁」と同じで、事実、ロシアは欧米キリスト教諸国が中心の「ＳＤＧｓ」のほぼ全てに反対していることが経済制裁の理由の一つで、「ウクライナ侵攻」のみが理由ではない。

今、行われている「Power-Broker（パワーブローカー）」主催のカードゲームは、「第二次世界大戦」の戦勝国である「アメリカ・イギリス・フランス・ロシア（旧ソ連）・中国」の間で行われている「Power-Game（パワーゲーム）」だ。

それは「Great Reset〈跡形もなく入れ替える〉」後の陣取りゲームのことで、パワー・ブローカーはイギリスのロスチャイルドとアメリカのロックフェラーで、大国同士で奪い合う陣に日本の姿は消えている!!

現在進行形で行われている「Power-Game（パワーゲーム）」を理解すると、今の世界情勢がハッキリ見えてくる……。

基本は以下の「国連常任理事国」の構図で、【イギリス（ロスチャイルド）＋アメリカ（ロックフェラー）の新キリスト教国】≠【フランス（EU）旧キリスト教国】VS【ロシア（ギリシア正教＝ロシア正教）】≠【中国（共産主義＝無神論国）】で、フランスはEUでドイツを抑えて主導権を握り、「New World Orde（新世界秩序）」でイニシアチブを握ろうとし、中国は「三國志」を例に二つの巨大勢力が共倒れした後の漁夫の利を狙い、少し離れた位置でゲームをしている。

古今東西全ての戦争は「宗教戦争」であり、「米英（新キリスト教）」≠「フランス（旧キリスト教）」VS「ロシア（ギリシア正教）」≠「中国（無神論国）」の構図が明確になる。

ここに「仏教国」が入っていないのは、仏教国は基本的に世界相手の戦争を嫌うため、欧米諸国は武力で幾らでも叩き潰せると思っているからだ。

問題は「イスラム教国」で、イギリスとアメリカは、アシュケナジー系ユダヤ人の「第三神殿建設」を機に、ロシアとイスラムを組ませ、フランスなどが主導権を持つEUを滅ぼす「第三次世界大戦」を勃発させようと画策していることだ。

一方、ロシアはその動きを利用し、東征したEUを100万を超えるイスラム連合軍に攻撃させ、ロシアは世界最大の超水爆の空中炸裂で電磁シャワーをEU全土に降らし、NATO軍の全兵器システムを焼き切るだけで、「旧ワルシャワ条約機構」の領土内に留まり、次の段階のアメリカとの戦争に備えることになる。

プーチン大統領は、「旧ワルシャワ条約機構」の領土をNATOから取り戻せば国内的に面目が立ち、「大ロシア復活」も達成できるため、敢えて深追いはしない狡猾さがある。

一方のアラブとアフリカを中心とするイスラム諸国連合は、既にイラン（シーア派）の大使館が、サウジアラビア（スンニ派）に建設され、裏ではロシアを介して両国の外交が確実に始まっている……。

そんな時、イスラエルのイスラム教の聖地「黄金のモスク」が破壊され、同時に「第三神殿建設」が始まれば、世界中の全イスラム教徒は一斉に「ジハード（聖戦）」で一致、もはや「ウクライナ侵攻」のレベルではなくなる。

東京の「アメリカ大使館（極東ＣＩＡ本部）」のエマニュエル大使が日本政府専用機「ボーイング」に搭乗した天皇徳仁(なるひと)陛下を、インドネシア沖で落とす策略は、前回のエリザベス女王の国葬で使った機体と同機になったため失敗した。

final battlefield ②

ヤハウェ（ヤマトの神）を失敗させ、彼らの真の神（バアル）であるルシフェルに天地創造をやり直させるのが、狙いである！

「マムシの子」のアメリカを支配するロックフェラーと、イギリスを支配するロスチャイルドは、フランスにイスラム諸国との調停役を持ち掛け、わざと失敗させることで、イスラム諸国の激しい怒りをアメリカ大使館があるエルサレムではなく、ＥＵへと向けさせ、プーチン大統領もその動きを「ＮＡＴＯの東征」への返礼に利用する!!

ドイツでは右傾化が進み、メルケル首相の頃に受け入れた１２０万人に及ぶイスラム難民に対する迫害が全国で勃発、エルサレムの「黄金のモスク」の崩壊と「第三神殿」建設が火種となり、イランとサウジアラビアが激怒、一気にロシアの後ろ盾で宿敵十字軍のＥＵへの電撃侵攻が起き、同時にＥＵの全イスラム教徒が呼応して大規模テロに発展、ＥＵが内部崩壊する!!

アフリカからもイスラム教徒が地中海を越えてＥＵへ侵攻、悪の枢軸バチカンを火の海にし、ピレネー山脈を越え、スペイン（旧・オスマントルコ領）まで手を伸ばし、テロ国家「イスラム国」の発想がついに現実化する!!

何度も言うが、「Power-Broker（パワーブローカー）」のテーブルに日本という国は存在せず、「太平洋戦争」の敗北後、日本はアメリカの半独立国（自治領）となり、裏では既にハワイ州と併合され、日本列島から日本人を駆逐した後、ビル・ゲイツが治める日本には、在日を含めて日本人は生き残っていない。

日本人は、既に1億以上がビル・ゲイツ製母型「ゲノム遺伝子操作溶液」の接種で、２０２３～24年度中にほとんどが悶絶死しており、「ＳＤＧｓ」の「ゲノム編集コオロギ（ゴキブリ）パウダー」で、狂牛病の「肉骨粉」と同じプロセスで、非接種者の脳と髄を急激に溶かす「変異型プリオン蛋白質」を消化器系から摂取させて全滅を目論んでいる。

「イルミナティ【後期】／Illuminati（Late-day）」のロスチャイルドと、傍系のロックフェラーは、『旧約聖書』の「イナゴ以外の虫は汚れているので食べてはならない」の神との契約を破る大和民族を、全てを死後も地獄行きにするため、毒を喰わせるのである‼

一方、中国はロシアの状況を見てカードをいつ切るかを窺い、アメリカの寝首を掻くタイミングを見定めているが、いつ中国経済が崩壊するかの危うい綱渡りをしている‼

そんな中、「アメリカ大使館（極東ＣＩＡ本部）」のスファラディー系ユダヤのエマニュエル大使が赴任し、アメリカ領の〝不沈空母〟に居座る日本人を一掃するため、「ゲノム遺伝子操作ワクチン」でほとんどを消去した後、生き残る非接種を日常食で殺す「ゲノム編集コオロギ（ゴキブリ）パウダー」を喰わせると同時に、「ＬＧＢＴ」で日本文化を「Transform」して跡形も残さないようにする‼

その役目は圧倒的議席数を茹で蛙から得た在日系自民党が担い、戦後、ダグラス・マッカーサーが〝戦勝国民〟として利用する在日を、ＮＨＫをはじめとする全マスゴミ、霞が関、民間企業の全てに送り込み、「朝鮮戦争」後に見つけた文鮮明の「統一教会」が支える構造が完成した。

特に自民党は李氏朝鮮の岸信介の時に、地方を含め「統一教会」との一体化が一気に進み、最終的に天皇陛下暗殺で〝大和民族のレガリア〟をアメリカ軍に手渡し、イスラエルに送って「第三神殿」を建設させればアメリカとイギリスの勝利となる。「第三神殿」の建設で「第三次世界大戦」を勃発させれば、アメリカとイギリスにとって邪魔なEUが地図から消え、最後にアメリカ軍が出動して正義の鉄槌をイスラム軍に下せば、「Power-Game（パワーゲーム）」からEUとイスラム諸国が消え、後に残るのはロシアと経済危機で青息吐息の中国だけになる。

「第三神殿」を3日で建設（キューブ状構造体は既に完成し組み立てるだけ）するイスラエルは、「ビル・ゲイツ製母型ゲノム遺伝子操作溶液」の接種が進んだ結果、アシュケナジー系ユダヤの生存時間は2023～24年で終わりを告げ、接種拒否は無力なラビだけなので殺せばよく、ロスチャイルドとロックフェラーによる「Hyper-Richistan／超リッチスタン（超富裕層世界）」が「第三神殿」を乗っ取り、彼らが信じる真に光を運ぶ者〝ルシフェル（バアル）〟を召喚する!!

それには、預言されたラストエンペラーの天皇徳仁(なるひと)が邪魔なので殺せばいいということになる!!

大和民族（ヤ・ゥマト：ヤハウェの民のヘブライ語）の『旧約聖書』にある人類最

初の戒め、「産めよ増えよ地に満ちよ」を、世界人口80億から5億に激減した世界をヤハウェに見せつけ、失敗したヤハウェを嘲笑することで天界から引きずり降ろし、真の神（バアル）であるルシフェルに天地創造をやり直させるのである!!

茹で蛙と化した日本人は、この仕掛けを全く理解せず、瞬く間にニムロド王の末裔に滅ぼされる巨旦（こたん）となり、２０２３年に「蘇民将来」が嫌でも見えてくる!!

final battlefield ③

働けば働くほど貧しくなる日本人と日本企業は国連ＳＤＧｓ詐欺でさらに板子一枚下の地獄に落ちていく！

白人富裕層の莫大な資産を運用する欧米の「巨大投資ファンド」は、従来型で正常な「Investment（投資）」を放棄し２０３０年までに国連の「ＳＤＧｓ／Sustainable Development Goals（持続可能な開発目標）」を全面的に受け入れ協力する企業、組織、団体にのみ「ＥＳＧ／Environment（環境）・Social（社会）・Governance（統治支配）投資」を受けられ、非協力的な企業には、今まで投資してきた金融資産すら引き揚げる「Divestment（ダイベストメント）」を行う「ＳＤＧｓ圧」を掛けている。

一方、「統一教会」が地方を含めて癒着し、在日が国政を支配する「自民党政府」だったが、李氏朝鮮の安倍（李）内閣の長期政権下で、日本の企業体質が〝海外投資依存型〟に変貌、今も続く「日本売り」の円安体制も止まらないため、幾ら日本企業が海外輸出で稼いでも、超安売りで利益が目減りする上、その利益の大半を白人の欧米ファンドに持っていかれる結果、日本人は働けば働くほど貧しくなる国に堕ちた!!

そんな中、突破口を見つけたい日本企業は、欧米人主導の「国連」による「ＳＤＧｓ」に救いを見出したのだ。

それが「ＳＤＧｓ」で、忖度(そんたく)してでも受け入れ、厳格な日本文化を破壊してでも欧米キリスト教国主導の「ＬＧＢＴ（性的マイノリティ）」に従い、日本伝統の食文化を破壊してでも背に腹は代えられないと「昆虫食（特にコオロギ食）」を全面的に受け入れる奴隷と化した。

在日自民党が「ＬＧＢＴ（性的マイノリティ）」を受け入れたため、「ＪＲ」を筆頭に全駅のトイレは男女性差別廃止の「男女兼用トイレ」となり、デパート、ホテル、旅館、学校も同じにしなければならないため、自民党の一部から建て直しで新たな経済効果が期待できるとの喜びの声が上がり、さらにこれからのオリンピック競技も性転換した男性が女性として出場することで、金メダルを総なめにする新たな時代が到来する。

ロスチャイルドとロックフェラーの「イルミナティ【後期】／Illuminati（Late-day）」による２０３０年以降の地球は、「Transforming Our World」で跡形もなく入れ替わった「Great Reset（グレートリセット）」の未来で、「ＳＤＧｓ」を盾にビル・ゲイツが指揮を担っている。

この現状から、「新型コロナウイルス（ＣＯＶＩＤ－19）」もビル・ゲイツが仕掛けたことが分かり、ゲノム遺伝子操作した「メッセンジャーＲＮＡ」も、嘘のパンデミックで世界を煽り、ワクチンという名の「遅延死溶液」で世界人口を5億に減らすことに成功（既に接種させたため）する。

「Power-Broker（パワーブローカー）」は、所詮は生きる価値のない連中が、死にたくないので何も疑わずに打ったに過ぎないと考えるので何の罪悪感もない!!

２０２３年に、「コオロギ（ゴキブリ）食産業」に参入し、10億円以上の利益を目指す「ＮＴＴ東日本」は、ＳＮＳで「補助金や助成金をもらっている」非難に対し、「補助金は一銭もありません。政府に聞いていただければすぐに分かります」と一笑するが、実際は「欧米ファンド」による〝ＳＤＧｓ優先企業〟への膨大な「ＥＳＧ投資」が目的で、それを「ＮＴＴ東日本」は故意に隠している。

その「ＮＴＴ」といえば、在日米空軍の「横田基地」（東京都福生市）内の多国籍コンピュータテクノロジー企業「ＤＥＬＬ」をカモフラージュに、日本全域電源破壊システムである「電源消失プログラム」を開発した男、「ＮＳＡ／National Security Agency（アメリカ国家安全保障局）」職員で、「ＣＩＡ／Central Intelligence Agency（アメリカ中央情報局）」の職員だったエドワード・スノーデンに、「ＮＴＴ」「ｄｏｃｏｍｏ」「ａｕ」「ＳｏｆｔＢａｎｋ」などが、全顧客の登録個人データを「ＮＳＡ」に横流ししていると暴露された企業の一つだ。

「ＮＴＴ」は日本中の固定電話登録企業と登録者、インターネット・テレビサービス登録者の個人データをアメリカに提供し、その登録者が何を話し、ＦＡＸしたかを傍聴・盗聴する「三沢基地」の「エシュロン」（青森県三沢市）で監視される!!

その「ＮＴＴ東日本」が、自社の強みの通信技術とセンサーを利用し、「コオロギ（ゴキブリと近似種）工場」の飼育システムを効率化、更なる需要拡大に対応する「スマート養殖」を目指す以上、遅かれ早かれゲノム遺伝子操作による「ゲノム巨大コオロギ」を、アメリカ型合理主義の名の下に利用することは歴然としている!!

final battlefield ④

ビル・ゲイツ型ホロコースト完成を許すな！ ほぼ全ての食品に高濃度「変異型プリオン蛋白質」が混ぜられる⁉

「ＮＴＴ東日本」は、「コオロギ（ゴキブリと近似種）食」推進に全国の電話局を活用する計画で、全固定電話とインターネットによる申し込みを受け付ける窓口スペースを想定、申し込みがネット中心で現在使われていないため、２０３０年を迎える前の２０２８年までに窓口を６００カ所に増し、全てを回線でつなぐ計画でいる‼

今回、規定路線だったかのように、突然、「ＬＧＢＴ法案」が国会で修正を加えて可決、その背後で「コオロギ（ゴキブリ）食」参加企業が大増加、まるで明日にでも日本人全てが〝ゲイ趣味〟になり、毎日ゴキブリを喰うかのような速度で、国民のコンセンサスが全くない勢いで決まっていく……

これはまるでビル・ゲイツが煽った〝偽パンデミック〟に煽られ、わけが分からぬ内にビル・ゲイツが推奨する「ファイザー」「モデルナ」「アストラゼネカ」等の「遅延死ワクチン」を何の保証がなくても急いで受け入れたときと全く同じ構造である‼

「数字は嘘をつかないが、詐欺師はその数字を使い、嘘がバレる前に結論を急がせる!!」

よく考えれば分かることだが、「コオロギ（ゴキブリ）パウダー」は蛋白質を豊富に含み、牛や豚に比べて飼料を少なく抑えられ、環境への負荷が小さいというが、陸の肉の大豆を膨大な面積の休耕田を使って、ベンチャーが集中栽培するだけで、アメリカから加工大豆を輸入しなくても済み、四方を海に囲まれた日本の海洋資源はほぼ無限に近い……にもかかわらず、何を急がされて「コオロギ（ゴキブリ）」を食べなければならないのかということだ？

ビル・ゲイツが、国連の「ＦＡＯ（国連食糧農業機関）」のスポンサーなら、コロナの時のビル・ゲイツがスポンサーだった「ＷＨＯ（世界保健機関）」と同じ仕掛けがあることは歴然で、何も考える暇を与えず、一気にことを成して騙すのは詐欺師の常套手段だ!!

それらは、ビル・ゲイツが目論む〝ゲノム遺伝子操作〟で変異した「スクレイピープリオン蛋白質（ＰｒＰＳｃ）」つまり「変異型プリオン蛋白質」を全身で生み出す「ゲノム巨大コオロギ」が登場したら最後、パウダー化されても「蛋白質：アミノ酸・他」として表記され、日本では〝ゲノム表示禁止〟が法案化したため、一瞬にして「悪魔の大量殺人工場」と化す……。

ロックフェラーが創設し莫大な資金を出した「国連」が主導し、2030年の以降の世界「New World Order（新世界秩序）」で生き残りたいなら、全ての日本企業は、後先もなく「SDGs」に猛突進せねばならず、それはまるで、ビル・ゲイツの似非パンデミックに踊らされ、大急ぎで「遅延死溶液」接種に殺到した日本人と同じである。

それでも日本企業は、「コオロギ（ゴキブリ）食」に対し様々な工夫を考え、「高崎経済大学」の産学共同ベンチャー「FUTURENAUT（フューチャーノート）」（群馬県高崎市）は、自社飼育する〝食用コオロギ〟に、日本人の主食の「米」の胚芽（ぬか）を使用するため、米穀卸とタイアップしている。

それについて、「高崎経大」に籍を置き「FUTURENAUT」の最高技術責任者（CTO）の飯島明宏教授は「米ぬかは人間の食料と競合していない」と指摘、食品ロスを飼料にすることで「SDGs」の優等生になると胸を張り、「ナカリ」の中村社長も、全国から年間5万トンの米を調達、精米で出る「米ぬか」の量は少なくとも年間6000トンもあるため、「米ぬかコオロギ」の大量生産体制に十分なポテンシャルがあるとする。

既に「ＦＵＴＵＲＥＮＡＵＴ」は「米ぬかコオロギ」を前橋市内の虫をテーマにするカフェに卸し、焼菓子として販売、食用コオロギの新ブランド「Ｂｒａｎｃｋｅｔ（ブランケット）」を立ち上げ、「コオロギ巨大市場」の獲得を目指して様々な商品化を急ぐ!!

「○Ｔ○東日本」がなぜ数十億の利益を算出できるかは、「国連」がバックにいることもさることながら、最終的に「コオロギ（ゴキブリの近似種）パウダー」にしてしまえば、一般消費者が食べても分からない抜け道が「食糧庁」にあるからでは⁉「ゲノム表示」もしないですむ上、「アミノ酸」や「調味料」なら５パーセント未満なら表記せずにすむため、ほぼ全ての加工食品に、ゲノムで遺伝子操作された「ゲノム巨大コオロギ」が磨り潰されて混ぜられる……。

在日支配の「自民党」により〝茹で蛙〟と化した日本人は、同じ日本人同士で詐欺同然の「ＳＤＧｓ」で共喰いを始め、その共喰いの行き着く先は、牛が「肉（牛）骨粉」を食べて脳が溶ける「ＢＳＥ（狂牛病）」同様、ヒトの狂牛病「ＣＪＤ（クロイツフェルト・ヤコブ病）」を発症するゴールである!!

「アミノ酸」「調味料」として食品に混ぜられた高濃度の「変異型プリオン蛋白質（ＰｒＰＳｃ）」入りコオロギパウダーは、家族団らんの場合は「孤発性ＣＪＤ」から

「家族型ＣＪＤ」へと拡散、消化器系からの摂取は、遅延死ワクチンの筋肉注射と違い、早い場合は4カ月で脳が溶けて死に至る。
かくして、在日系自民党によって、日本人同士で根絶やしにする〝ビル・ゲイツ型ホロコースト〟が完成する!!

final battlefield ⑤

SDGs「国連詐欺」の原点、そして従わない企業にはMDGsが制裁を加える仕組みの完成！

元々、持続可能な開発目標「ＳＤＧｓ（Sustainable Development Goals）」は偽環境問題で、その中核が「地球温暖化」の嘘から始まり、それを世界中に信じ込ませるため、1997年、日本を利用する「気候変動枠組条約締約国会議」を開催、そこで定められた日本圧倒的不利の「京都議定書」を国際協定とし、CO_2（二酸化炭素）削減比が国別で定められる中、2006年、アル・ゴアの詐欺映画『不都合な真実』が世界を席巻、世界中の人々が騙される事態になる。

地球の隣の「金星」が摂氏460度の灼熱状態にあるのは、CO_2が全大気の96・

5パーセントもあるからで、それに対する地球のCO_2は0・03パーセントに過ぎず、その金星と地球を同じテーブルで語ること自体、数字をあらぬ方向へと悪用する「イルミナティ【後期】／Illuminati（Late-day）」のロスチャイルドとロックフェラーの悪だくみである。

そもそも「金星」が灼熱なのは、世界中の古代文明が記録しているように、紀元前2000年以前に「金星」は太陽系に存在していなかったことを原因とする。

「古代バラモン」の記録にも「金星」は登場せず、それ以後になって、突然「古代バビロニア」の粘土板に初めて「金星」が登場、「大きな星たちに加わった大きな星」と記され「金星」が新しく出現した星だったことが分かる。

「金星」は2500年前に「木星」から噴出したと『ギリシア神話』が記している……「ゼウス（木星）の額を割ってアテナ（ヴィーナス＝金星）が誕生した」。

紀元前3世紀、「アレキサンドリアの図書館」の館長だったエラトステネスが書き残した文書に、「金星は火星を捕らえ、激しい情熱で火をつけた」とある。

このことから、「木星」の大赤斑の下で噴火する超弩級火山が大噴火し、そこから宇宙に飛び出した灼熱の火の玉（マグマ）の「金星」が、「太陽」の重力に引かれ、「火星」を「潮汐力（ちょうせきりょく）」で弾き飛ばして今の位置に納まり、「火星」はその後、楕円軌道を描きながら重力が落ち着く「地球」と「木星」の間を再び公転するようになった。

その際、金星の地表を覆う「真っ赤」な酸化鉄が、「火星」の表面目掛け、天体規模の巨大雷でスパークした結果、「火星」の黒い地表を赤い酸化鉄が覆う今のような姿になった。

つまり「金星」が灼熱化しているのはCO$_2$が加速度的に増えたのではなく、生まれたてのCO$_2$が多い灼熱天体だからで、2030年をCO$_2$量で後戻りできない回帰不能点、つまり「金星」への道の臨界点「ティッピング・ポイント」とする「SDGs」は、嘘の数字を更に嘘で悪用した「国連詐欺」である!!

あまり知られていないが、「第一次世界大戦」後につくられた「国際連盟」は、イギリスのロスチャイルドが中核となってスイスに創設、ロスチャイルドの城を本部にした国際組織だったが、ロックフェラーが支配するアメリカは「国際連盟」に加盟していない。

アメリカが加盟したのは「第二次世界大戦」で連合国が勝利してからで、ロックフェラーの膨大な資金で新たに「国際連合」が創設され、ロックフェラーのアメリカに本部が置かれ、国連機関は全てロスチャイルドが支配するスイスのジュネーブに置かれた。

　このロックフェラーが支配する「国連」の「ＳＤＧｓ」は数字と科学を悪用した「イルミナティ【後期】／Illuminati（Late-day）」の謀略で、２０００年９月、21世紀直前に「国連ミレミアム・サミット」の場で「ＭＤＧｓ／Millennium Development Goals（ミレニアム開発目標）」が採択、翌年の同じ９月、場所も同じニューヨークで、「９・11アメリカ同時多発テロ」が勃発、世界中がショックを受け、２０１５年までに「ＭＤＧｓ」を邁進する勢いが付く。

　そんな中、「ＭＤＧｓ」の目標達成に取り組んでいたのは国連や政府だけで、企業や個人はあまり関与しなかったことが問題視され、強制権を発動してでも「民間企業」「個人」の意識改革を断行、従わない企業に「欧米投資ファンド」が制裁を与える「ＳＤＧｓ」が可決する!!

　この「ＳＤＧｓ詐欺」に名を連ねるグループが「ＳＤＧｓ ＣＬＵＢ」で、世界規模の「ＳＤＧｓカルト」として超弩級富裕層だけが生き残る人口５億の世界の「ＮＷＯ／New World Order（新世界秩序）」への「Great Reset（グレートリセット）」を推進する!!

　２０１３年、その動きで出てきたのが「ＦＡＯ（国連食糧農業機関）」の「ＦＡＯレポート」で、食用昆虫（最終的にコオロギ〈ゴキブリの近似種〉食）の適切な国際および国内規格と法的枠組みの確立が打ち出され、2015年、「EFSA（欧州食品安全機関）」を中心にEU諸国に政策立案者&主要昆虫養殖事業者の〝世界規模非営利団体〟が設立される。

日本は「農林水産省」が「フードテック研究会」を立ち上げ、「コオロギ（ゴキブリ）食」推進が、良質蛋白質を大量に含む「大豆」を休耕田で大増産するより、昆虫食品を推し進める方が、在日が支配する狂った「コリアJAPAN」では大事となる……。

final battlefield ⑥

5パーセント未満のコオロギパウダーは表記されない！なにが何でも推進するのは投資ファンドが撤退してしまうから⁉

日本では食品一般について規格基準が定められている。特に衛生管理で注意を要する食品は「個別品目」に設定するが、日本政府は〝昆虫関連食品〟に規定を嵌める気は毛頭ないようだ。

昆虫は食中毒を起こす「カンピロバクター」を体内で増殖させなくても、命を奪う

「サルモネラ菌」は繁殖させるため、規定を設けない日本政府は無知というか異常というしかなく、飼育、加工、保存過程で「黴（カビ）」や「細菌」が入り込む可能性が非常に高い。

たとえば「吸虫」「条虫」などの寄生虫リスクは、昆虫にもある事実を日本政府の専門家が知らないはずはなく、昆虫の場合は本来の感染経路と異なり、過去、外国で昆虫から人に寄生虫が侵入したケースも多々あり、「ツヅリガ」の貯穀害虫の幼虫は「縮小条虫」の中間宿主になることが報告されている。

本来「縮小条虫」はネズミを最終宿主とするが、ネズミの糞に含まれる「縮小条虫」の卵を、ガ類の幼虫が食べると寄生され、それを人が生食すると人に寄生する。

昆虫は基本的にノロウイルスなどを媒介しないとされ、新型コロナウイルスも昆虫の体内で複製されることはないとされるが、未知の細菌やウイルスまでは分からない。

こういう一般的な病原体以外に、昆虫に異常変形する「プリオン蛋白質」を体内増幅させる能力はないとされるが、過去に「プリオン病（狂牛病）」に感染した動物の死骸を食べた昆虫が、「異常プリオン蛋白質（ＰｒＰＳｃ）」を体内に保持していたことが確かめられている。

日本政府で最も軽く扱われるのが、カニやエビの甲殻部に含まれる「アレルゲン」

によるアレルギーで、「トロポミオシン」「アルギニンキナーゼ」が強い拒否反応を起こす「甲殻類アレルギー」で、最悪の場合は死亡する。

そのため、安易に人件費が安いタイや東南アジアで「コオロギ（ゴキブリの近似種）」を培養すると、結果として強いアナフィラキシーを起こすケースが日本で多発する可能性がある。

特に、5パーセント未満の「コオロギ（ゴキブリ）パウダー」は「アミノ酸・他」「調味料」としか表記されないため、蟹や海老による「甲殻類アレルギー」を持つ人は、気を付ける間もなく直撃を受ける羽目に陥り、最悪の場合は激しい嘔吐や痙攣を起こし、死亡する場合もある。

さらに、貝、タコ・イカなどの頭足類を含む「軟体動物」のアレルギーを持つ人もいるが、コオロギ（ゴキブリ）にも、イカ、貝類のアレルゲンとの共通性が内在することが分かっている。

「SDGsCLUB」の日本は、何が何でも「コオロギ（ゴキブリ）」を国民に普及させねばならない義務があり、それに違反すると国際社会から罰則（投資ファンドが撤退する）を受けるとされる。

この国際社会とは欧米白人諸国のことで、世界人口比でたった17パーセントに過ぎない地域に過ぎず、他のインド、中国、アジア、東南アジア、中央アジア、アフリカ諸国、中南米諸国は、ほとんど「ＳＤＧｓ」に無関心の83パーセントを占めている。

ＥＵ内も「コオロギ食」「ＬＧＢＴ」の推進度あいはグラデーションで、特にイタリアは「コオロギパウダー」は禁止、「ＬＧＢＴ」より旧来の家族を最優先にすると宣言している。

日本だけは在日朝鮮人が「統一教会」と自民党を支配しており、ほとんどの日本人を「横田基地のアメリカ軍」「アメリカ大使館（極東ＣＩＡ本部）」で制圧しているため、何も分からず「コオロギパウダー入り食品」を毎日食べるうち、今まで日本人にはなかった「コオロギアレルギー」を引き起こす可能性も新たに出てくるだろう。

それでも在日支配の自民党政府は、世界最速で「昆虫養殖＆販売市場」の拡大を進め、「コオロギ（ゴキブリ）食」世界ＴＯＰ１を目指す勢いだ!!

そして、ある日突然、ゲノム遺伝子操作の「巨大ゲノムコオロギ」がつくられ、「ゲノム表記」なくパウダーに混ぜられ、ゲノム創造で発生する「異常プリオン蛋白質（ＰｒＰＳｃ）」を全日本人が食べる羽目に陥る!!

final battlefield ⑦
ペット業界にも昆虫食の波押し寄せる！巨大ゲノムコオロギは間違いなく登場するだろう!!

やはりというか当然というか、「昆虫食（特にコオロギ）」はペット産業にも深く喰い込み始めた。

SNSで「ペット・コオロギ」で検索すると、出るわ出るわ「ペット用コオロギ・パウダー」「おやつコオロギ」「昆虫ボーロ」などがずらりと勢ぞろいする。

多くは小動物のハムスター、ハリネズミ、小型爬虫類だが、中には愛犬用として、ペットライフのよきパートナー「ドギーマン」の「おやつコオロギ」があり、ハウス食品の乳酸菌L－137配合のやわらかクッキーで、「愛犬にも地球にもやさしい♡うれしいおやつ」とある。

YORAドッグフードのサイトでは、「【ドッグフード業界に革命】昆虫食は愛犬にもメリットだらけだった」とあり、さらに見ていくと、「イヌが虫を食べるのは当たり前」とある。

「飼い主さんなら、散歩中にワンちゃんが虫さん食べちゃったなんて経験がある方もいるんじゃないでしょうか。

実は野生時代の犬は、小動物や虫を食べることでタンパク源をとっていたのであまり心配はいらないのです。もともと狩猟用で飼われていたので、本能の現れであり、驚くことではありません。

犬が昆虫を食べるのは生きるのに当然のことであり、昆虫由来のフードを与えるのはとても理にかなっているんです」

「実は、動物性タンパク（鶏・豚・牛など）にアレルギーのあるワンちゃんは多いです。もともと肉食なのにお肉アレルギーなのはちょっと気の毒ですよね……」

「その代替ドッグフードとして植物性タンパクが主流でした。そこに昆虫食の波が吹き込んだのです。

昆虫由来のタンパク質であれば、お肉アレルギーの心配もありません」

「例えば先に紹介したヨラドッグフードにはグルテンや香料なども含まれていないので、アレルギーを持つ多くのワンちゃんも安心して食べることができます。食いつきもいいんですから、驚きですよね」

「環境への負荷が非常に少ない。同量のタンパク源を生産するのに、昆虫を養殖したほうが使う土地も水も少なく、環境にも良いということが読み取れますね。コオロギなどの生産には、土地も水も他の家畜より少なくてすむんです。」と「ＳＤＧｓ」を大きく謳い上げている!!

一方、日本全国の様々な工場や研究所を見学する視察予約サイト「シサリー」を見ると、やはり「コオロギ工場」があった。

見つけたのは、「茅野養殖場」（長野県茅野市）を会場とする食用コオロギ工場の見学プランで、食用コオロギのスマート養殖の内部を見られ、「クリケットファーム」の創業者の坪井大輔氏による講演もあるプランだ。

講演内容は「世界の食糧問題と持続可能な地球の未来」で、見学時間は全部で75分間の内容で、特に「地方自治体職員」「地方議員」を歓迎しているのは、地方創成の切り札とアピールするためだろう。

ハムスターが「ミルワーム」を食べるのも、犬が「虫」を食べるのも知っているし「猫」も同様で、そのことを問題視するのではなく、やがてアメリカ型合理主義から、間違いなくゲノムでコオロギの遺伝子操作が行われ、異様な回数の脱皮を行わせた「巨大ゲノムコオロギ」が使われることだ!!

いや、ｍＲＮＡと同様、ゲノム設計図からつくる「人工巨大ゲノムコオロギ」も半歩先で、すると、ゲノム遺伝子の染色体に「プリオン蛋白質」が付着、それが突然変異を起こして「スクレイピープリオン蛋白質（ＰｒＰＳｃ）」となるため、そのゲノムコオロギを磨り潰した「コオロギパウダー」は、ペットの脳を溶かすことになる。

怖いのは、脳が溶け始めたペットは性格が変化するため、万が一噛まれたら最後、ペットの唾液から「変異型プリオン蛋白質（ＰｒＰＳｃ）」がヒトに感染、「ＣＪＤ（クロイツフェルト・ヤコブ病）」を発症し、ペットと同じく脳が溶け始めて、記憶喪失、性格変化、卒倒、激しい痙攣を経て死に至り、現代医療では治癒の方法がない。

final battlefield

⑧

ペンタゴンが作ったコリアＪＡＰＡＮ！ニュー山王ホテルで行われる２週間毎の秘密会合「日本合同会議」とは⁉

終戦後、ダグラス・マッカーサーと「ＧＨＱ（連合国最高司令官総司令）」が「ＷＧＩＰ／War Guilt Information Program（戦争についての罪悪感を日本人の心に植え付けるための宣伝計画）」を仕掛け、在日を〝戦勝国民〟として扱い、「在日特権」「在日就職枠」「特別永住権」「通名制度」で日本人を支配する立場に置いた。

この延長上に、在日と半島系「統一教会」が癒着する「自民党」が誕生、一方、霞が関に大量の在日が入り込み、財務省を初め多くの省庁のトップが在日で固められた。が、真の支配者はアメリカで、さらに正確にいえばアメリカ政府ではなくアメリカ軍、つまり「ペンタゴン（国防総省）」が日本を在日を介して支配している。

そのアメリカ軍が在日の支配する財務省など省庁と、都内の米軍施設「ニュー山王ホテル」で2週間毎に〝秘密会合〟を持つ「日米合同委員会（Japan-US Joint Committee)」の決定が、国会に持ち込まれ、これまた在日自民党が圧倒的議席数で採決し、法制化するのが今の「コリアＪＡＰＡＮ」の実態である。

同時に、東京都港区赤坂の「アメリカ大使館」は「極東ＣＩＡ」の巣窟で、スファラディー系ユダヤのラーム・エマニュエル大使の役目は、天皇陛下暗殺とユダヤの「レガリア」強奪と、ビル・ゲイツとともに自民党と創価学会・公明党を介し、「ＳＤＧｓ」を徹底厳守させ、日本人を列島から日本文化とともに消し去ることをロックフェラーから厳命されている。

それには「ファイザー」「モデルナ」「アストラゼネカ」などの「遅延死溶液」を接種した1億近い日本人の医療データが必要で、いつ、どこで、どのゲノムワクチンを接種し、いつ入院し、いつ死んだかが記録された「保険証」を「マイナンバーカード」と一体化させねばならない。

「運転免許証」もさることながら、個人の資産や銀行預金データとも「マイナンバーカード」が直結、遅延死した日本人の資産・財産、そして「通帳データ」を全てアメリカが回収するため、自民党にマイナンバーカードの徹底を急がせている。

もちろん、非接種者のデータも必要で、「ＳＤＧｓ」絡みで「コオロギ（ゴキブリ）食」、ゲノム遺伝子操作で製作した「ゲノム巨大コオロギ」を、食べ物から摂取させるよう仕掛けている。

エマニュエル大使は、東京の「アメリカ大使館」に「性的マイノリティ」の象徴の「レインボー旗」を掲げ、日本文化を「ゲイ」「レズ」「バイセクシュアル」「トランスジェンダー」で染め直すため、「ＳＤＧｓ」を盾に「ＬＧＢＴ」を、ＴＶの「時代劇」「現代ドラマ」に多用させ、さらに「Questioning」のＱを加えた「ＬＧＢＴＱ」、インターセックスの「Ｉ」を加えた「ＩＬＧＢＴＱ」と、自民党の勢いは止まらない。

では、肝心のアメリカはどうなのかというと、日本のマスゴミの報道とは全く違い、共和党による「ＬＧＢＴ排除」の動きが全国規模で加速し、特にフロリダ州では、「ＬＧＢＴ」の言葉を使うことも禁止、子供を混乱させるとして学校で話し合うのも中学生まで禁止と、「ＳＤＧｓ」より「経済最優先」の動きも次々と起きている。

ＥＵでも、イタリアのメローニ政権は「ＬＧＢＴ法」を廃案に追い込み、「コオロギ（ゴキブリ）パウダー」も、イタリア料理（パスタやピザなど）に使うことを禁止している。

ハンガリーも同様で、イシュトヴァーン・ナジ農業大臣が、「昆虫タンパク質」を含む食品に〝警告〟のラベルを貼ることを義務づけると発表、昆虫の食品化に対する厳しい規則も同時発表し、この動きはＥＵ内に波及し始めている。

一方の日本は、岸田深海魚内閣が「関係ないなぁ」「聞こえないなぁ」で、圧倒的議席数で「ＬＧＢＴ」「コオロギ（ゴキブリ）食」を推進、「マイナンバーカード」に致命的不具合が連続しても関係なく、「悪いのは前の民主党政権の責任」でおしまい!!

それを地方の「統一教会」が支える自民党岩盤層が支えている。

日本でも本格的に「コオロギ（ゴキブリ）パウダー入り食品」の〝不買運動〟を全国規模で展開するときが来たようで、偽パンデミックに踊らされ、黙って在日自民党が用意した「屠殺場」に曳かれる真似だけは、二度と繰り返してはならない。

final battlefield ⑨

ワクチン死を多死社会でゴマかすＮＨＫ！　血管内で増殖するチューブ状の白いゴムのような繊維構造の血餅は何だ⁉

「詐欺師に騙される者は何度も騙され続ける」とされ、オレオレ詐欺に引っ掛かった個人の連絡先や住所が犯罪グループに売却され、何度も何度も騙される連鎖が生まれている。

それと全く同じことが、偽パンデミックに騙された人たちが、子供が感染しても平気な新型コロナウイルスに恐怖し、何の保証もない遺伝子操作ワクチンの接種に殺到、それを危険と警告するワクチン開発者を「陰謀論者」と罵倒し、開発者にソースを見せろと言う始末……

今も、実は膨大な数の接種者が死んでいるにもかかわらず、実感がわかないとして罵倒か無視、ＮＨＫを筆頭とするＴＶの嘘ニュースを観て安心している。

「多死社会」になっているとメディアは必死にワクチン死を隠している。

偽パンデミックでパニック状態だった日本は、２０２０年、本来なら死者数が激増するはずが、実は減っていた事実がある。

つまり、世の中は何も起きていなかったのだが、ワクチンと称する遅延死溶液の摂取が始まった２０２１年春から、死者が一気に激増し始める。

【毎年の死者数の推移】
２０１９年１３９万３９１７人
２０２０年１３８万４５４４人（０・７％減）
２０２１年１４５万２２８９人（４・２％増）
２０２２年１５８万２０３３人（13・５％増）

ＮＨＫはこの状況を「多死社会」と名付け、必死にワクチン死を隠しているが、そんな最中でも死者が増えすぎて、火葬待ち12日間の状況を伝え始めた。

２０２２年の死者数は平成元年と比べるとおよそ2倍で、ここ20年でも１・５倍に増え、死因別に最も多いのは「癌」の38万５７８７人（全体の24・６パーセント）、次が「心疾患」の23万２８７９人（14・８パーセント）、次が「老衰」の17万９５２４人（11・４パーセント）、「新型コロナ感染」で死亡した人は４万７６３５人とした。

ゲノム遺伝子操作ワクチン接種を専門医を交えて奨励してきただけに、ＮＨＫの罪業は大きく、脳髄を溶かす「変異型プリオン蛋白質（ＰｒＰＳｃ）」がゲノム溶液の染色体を覆うため、メッセンジャーＲＮＡが半年で消滅しても残り続けて分裂しながら増殖、脳を溶かして確実に死に至らしめる。

当初から遅延死を目的としたゲノムワクチンは、接種するほど免疫系を破壊するよう仕組まれ、癌細胞が一気に増殖する結果、癌死亡がＴＯＰになるだけで、次の「心筋梗塞」「狭心症」「心臓弁膜症」「不整脈」「心筋炎」などの心疾患も、血管内で増殖するチューブ状の白いゴムのような繊維構造の血餅（けっぺい）が成長して心臓に至って死亡することがアメリカの遺体衛生保全者が、防腐剤と血液を入れ替えるため、血液を押し出す時にぬるぬると出てくることを、ほとんどの遺体で確認している。

新型コロナ感染死のほとんどが「基礎疾患」「持病」で、これも免疫破壊が致命傷になるため、老衰以外のほぼ全てが何らかのゲノム溶液接種が原因の死亡と分かる。が、今も接種した人間のほとんどが、接種拒否者を判で押したように「陰謀論者」として馬鹿にしており、接種した側の理由もいい加減で「念のため」「タダだから」「皆打ってるから」の非科学も極まりという実態だ。

それと全く同じことが「コオロギ（ゴキブリ）食反対運動」に対しても行われ、判で押したように「陰謀論者」として馬鹿にしてくる。

「コオロギが嫌なら食べなきゃいいだけで、反対運動など馬鹿じゃないか」

「日本でもハチノコを食べたりイナゴを食べるんだ、昆虫食を馬鹿にするな」

「あいつら陰謀論者は暇だね」

これは「ファイザー」「モデルナ」「アストラゼネカ」などを打つと、ほぼ3年で死ぬ開発者の証言や、ノーベル賞学者の警告の場合と同じで、非接種者は「陰謀論者」「陰謀好き」として馬鹿にされ、罵詈雑言を浴びせられ、ひどい場合は首にされたはずである。

陰謀論者と決めつける人間は、ゲノム遺伝子操作で生まれる「巨大ゲノムコオロギ」の染色体を覆う「プリオン蛋白質」が、狂牛病の部位どころか磨り潰された「狂牛病の肉骨粉」のように、ヒトの口に入ってくるため、「嫌なら食べなきゃいい」では済まないのだ!!

final battlefield
⑩

河野太郎大臣は、陰謀論者がコオロギ食危険をでっち上げていて、迷惑だと切り捨てたが……

ワクチン接種後、２０２２年の死者が平成元年の2倍、令和（２０１９年）に入ってから１・５倍の約１５７万人になり、戦後最大となって火葬が中々できなくなっている。

世界を統計で測る「World of Statistics」の発表では、「Population yearly Change（人口の年次変化）」で日本は、２０２３年に突入するや38万３８４０人減を達成、２位はウクライナの戦死者を含む25万９８７６人で、日本人は戦場で死ぬウクライナ人より12万人も多く死んだことが判明した。

世界トップのワクチン接種率を誇る日本人は、「統一教会」と在日が支配する自民党を信頼し、ビル・ゲイツを信頼し、アメリカを信頼し、国連を信頼し、西側陣営の言うことなら何でも信じ切る日々を送っている。

そんな中、最初の段階で全ての罪が免除されたアメリカの製薬メーカーが製造した

「ゲノム遺伝子操作溶液」を体内に入れる行為は、偉いお医者様が仰るのだから間違いないとばかり、自民党政府の言うがまま何度も何度も接種し続けた日本人は、完全に思考が停止した〝痴呆〟と断言してもいいだろう。

その延長上にあるのが「ＳＤＧｓ」による「昆虫食（コオロギ）」で、アメリカ型合理主義から、衛生的なコオロギ生産工場で、ゲノムの遺伝子設計による筋肉もりもり「ゲノム巨大コオロギ」が生み出されるや、そのＤＮＡの鞘（プリオン蛋白質）がゲノム故に「変異型プリオン蛋白質（ＰｒＰＳｃ）」に変貌、消化器系を介してそれを食べたヒトの脳を直撃、筋肉注射より早く脳を溶かし始めるのである。

それが分かっている人たち（非接種者）は、ゲノムワクチン同様に昆虫食は「人口削減計画」の一環と主張しても、茹で蛙状態の日本人は白い目を向け、「この陰謀論者」「陰謀かまして何が面白いの」「世の中を混乱させるな」と、新型コロナ（ＣＯＶＩＤ－19）の時と全く同じ対応で嚙みついてくる。

東京都内では「コオロギはいらない」「コオロギ生産より大豆を植えろ」と主張する人たちが集まってデモ行進が行われ、ネットでも同じ論調で「昆虫食」の導入中止や見直しを求める声が拡大してきた。

これについて、自民党の河野太郎デジタル大臣は、国会で「割と最近〝陰謀論者〟

がコオロギの話を随分と拡散しているようですが、かなりでっち上げの投稿が多数見られます。それを見た一部の消費者から不安の声が上がっているのではないかと思われ、私も随分と迷惑している」と述べ、「昆虫食」への反対運動を陰謀論と一蹴した。

しかし、このような自民党の〝決めつけ発言〟に批判の声も強まり、日本各地で「コオロギ（ゴキブリ）食」への反発が起き始めている。

「ＳＤＧｓ」に無理矢理取って付けたような「昆虫食」への反発は、アメリカとＥＵ諸国でも起きており、「ＡＦＰ通信」の記事に「複数の加盟国では、昆虫食品の承認に反対する政治家からも同様の主張が聞かれる。ＥＵが人々を騙して不気味な昆虫を食べさせようとしている、各国の伝統的食文化に対する攻撃、中には、人々の命を危険にさらす邪悪な計画といった極端な意見もある」と書いている。

日本の「子ども達を守るＱ会」は、「子どもに（虫を）食べさせようとしている現状はおかしい。おかしいことはおかしいと言おう!!」と、少数人数ではあるが反対運動を開始している。

他にも、地味だが確実な反対運動を展開する「遺伝子組み換え食品いらない！　キャンペーン」の本部は以下の通り。

〒169－0051東京都新宿区西早稲田1－9－19－207
TEL　03－5155－4756　FAX　03－5155－4767
メール　office@gmo-iranai.org

一番いいのは全国に存在する特定非営利活動法人の「適格消費者団体」が動くことだが、それには親分の「消費者庁」と闘う意思が試されるだろう!!

全国の適格消費者団体一覧
https://www.caa.go.jp/policies/policy/consumer_system/collective_litigation_system/about_qualified_consumer_organization/list/

しかし、「変異型プリオン蛋白質」が「巨大ゲノムコオロギ・パウダー」から見つかれば話は別で、早ければ2023～24年から混ぜられる可能性が高い「ゲノム巨大コオロギ」を磨り潰したパウダーから、「スクレイピープリオン蛋白質（PrPSc）」を見つけることができたら、天地が引っ繰り返る事態が起きる。

が、その頃には同じ「スクレイピープリオン蛋白質（PrPSc）」でワクチン接種した約1億の日本人が、脳が溶けて死屍累々の山を築いている……

final battlefield
⑪

今もユタ州のエリア52より稼働中！ＨＡＡＲＰが作るプラズモイド（磁気島）とは⁉

現在の地球の極端な天候異変は太陽活動の異変もさることながら、その変化を最大限に利用する「ＨＡＡＲＰ（High Frequency Active Auroral Research Program）」から照射される気象兵器が原因である!!

最初の「ＨＡＡＲＰ」施設はアラスカ州の山奥だったが、紆余曲折を経た後、今も存在し続けている……が、現在、それはカモフラージュの役目しかなく、本体はネバダ州の「エリア51」からユタ州に新設された「エリア52」の地下構造施設に存在する!!

ロシア軍の分析では、「ＨＡＡＲＰ」は電離層を操作することで敵の電子システムを機能不全に陥れ、特定の国を機能不全に陥らすと分析、電離層への無闇な干渉は、結果的に制御不能に陥ることは必至で、地球規模の天文学的大災害が起きると警告する。

「ＨＡＡＲＰ」は超強力なビームを生成する〝地球物理学兵器〟で、アメリカ軍はその真の姿を隠していると分析する。

「ＨＡＡＲＰ」を稼働させる真の動機は、軍事目的のために地球の固体、液体、気体の各層で発生する作用に影響を及ぼす手段として存在し、電離層に人工的に生成する「plasmoid／プラズモイド（高電離ガスが塊になった状態）」を最大限に利用するという。

「プラズモイド」とは一定の磁場構造を伴う〝プラズマの塊〟のことで、アカデミズム的には太陽表面で起きる磁力線の「磁気リコネクション（つなぎ変え）」が形成する電流シートを指し、そこにプラズモイドと呼ぶ〝磁気島〟が形成されるとする。

太陽表面の爆発の「フレア」の際、磁力線の「プラズモイド」ができ、上空へ噴出する巨大なアーチができるが、それと同じことを「ＨＡＡＲＰ」が地球の磁気圏で人工的に造り出すことができるという。

プラズマの塊は、地上や軍事衛星のレーザーで自由に移動させることが可能で、アメリカは「エリア52」の巨大な「ＨＡＡＲＰ施設」を使い、エネルギー・ビームを照射し、電離層で反射させて「低周波」の電磁波として地球に戻す軍事実験を何度も行っている。

「ＨＡＡＲＰ」によって刺激を受けた電離層は、軍の各種ハードウェア「火器管制・誘導システム」「攻撃目標修正装置」「ナビゲーション・システム」などに組み込まれた無線・電子装置に影響を与え、結果として、航空機やミサイルを故障させ落とすことができるとする。

「ＨＡＡＲＰ」を一度でも使用したら、地震や、地球規模での急激な寒冷化など、誰も止めることのできない〝引き金効果〟をもたらし、既にアメリカは世界中に異常気象変動を起こし続けている。

電離層に極めて強い混乱を与えると、大量の自由電子の放出「電子シャワー」が発生、場合によれば一国の人間を一瞬にして「ＳＨＣ／spontaneous Human Combustion（人体自然発火）」で灰にすることもでき、電離層に穴を開ければ、太陽の凄まじい放射線をその国や領域に直撃させることもできる。

理論上、「ＨＡＡＲＰ」で南極と北極の電位を激変させれば、地球の磁極を引っ繰り返せるという。

今の世界的気象変動は、「エリア52」の「ＨＡＡＲＰ」が最終段階を目指している証拠で、本拠地はユタ州で、アラスカ州の「ＨＡＡＲＰ」は今やカモフラージュになっている。

「エリア52」の装置は巨大な地下施設の覆いが出たり引っ込んだりする仕掛けで、衛星からでも滅多に見ることができず、ある目的を果たすまでは世界中の気象を狂わせ、ことが終れば元に戻すとしても、その間は地上の作物は悲惨な状況になる。

実際、世界中の穀物、野菜、果物は軒並み不作となり、そうなればなるほど、ビル・ゲイツが仕掛けた「コオロギ（ゴキブリ）食の時代」が否応なくやってくる!!

final battlefield ⑫

HAARPもNASAも純粋な軍事兵器産業の一つ！ 地震兵器、気象兵器で覇権を維持する超悪辣国家がアメリカである！

「HAARP」を純粋な気象観測装置、電離層研究装置なので、それを「気象兵器」「地震兵器」と言うのは頭の悪い証拠で、科学の何たるかも知らない陰謀論者と喚く輩があまりにも多すぎる。

超大国アメリカは巨大な「軍産複合体」の国家で、世界最大の覇権国家であり、「戦争」が公共事業で、戦争がなければアメリカは倒産するため、自らマッチで火をつけて戦争を起こし、後で国連軍の名で水を撒いて火を消す〝マッチポンプ〟を旨とする世界最大の悪辣国家である。

保育園から石油、大学、軍事兵器産業まで一体化する常識も御存知ないようで、未だに「ＮＡＳＡ（アメリカ航空宇宙局）」を純粋な宇宙開発組織と信じ切っている茹で蛙の学者や研究者も無数にいる。

あまりに馬鹿馬鹿しいので軽い説明だけにするが、「ＨＡＡＲＰ」の研究は「アラスカ大学」が民営で噛んでいるだけで、スポンサー＆中心的開発は「アメリカ空軍」「アメリカ海軍」「ＤＡＲＰＡ（国防高等研究計画局）」で、「ペンタゴン（アメリカ国防総省）」から資金＋ブラックバジェット（闇予算）が出されている以上、「ＨＡＡＲＰ」は日本の気象庁レベルではなく、立派なアメリカ軍施設となる!!

「ＮＡＳＡ」もアメリカ大統領直轄組織で、スペースシャトルに限らず、アポロ計画のほとんどの搭乗員は軍人で、シャトルの着陸基地としてフロリダの「NASA Shuttle Landing Facility」ができるまで、カリフォルニア州の「エドワーズ空軍基地」が使われ、パイロットは軍人で、先進諸国で「ＮＡＳＡ」が軍と無関係だと思っているのは日本人ぐらいだろう。

地震兵器としての「ＨＡＡＲＰ」も馬鹿にする輩が多い様だが、それはエジソンを打ち負かしたニコラ・テスラを馬鹿にするのと同じで、電気の恩恵を受けながら、交流電流の発明者を馬鹿にする行為そのもので、電磁気発生装置の「テスラコイル」を使って地震を起こしていたのが当のニコラ・テスラである。

「HAARP」から電磁波（電磁気）が照射され電離層で跳ね返って地下10キロ以内で低周波交差させるだけで、「磁気リコネクション（つなぎ変え）」で「plasmoid／プラズモイド（高電離ガスが塊になった状態）」が発生、地下水脈を超高熱で膨張爆発（水蒸気爆発）させ地上を破壊する。

愚かな連中は大地は〝絶縁体〟でできていて、電気（電磁気）を通さないのが常識なので地震兵器は馬鹿な陰謀論者の戯言と嘲笑するが、大地どころか「空気」も実は〝絶縁体〟で電気を通さないはずが、電気の塊の「雷」が走り抜けているのは何故なのか科学的に答えよ!!

さらに言えば、大地（地球）は、銅、アルミニウム、鉄などの金属を大量に含み、実は電気をよく通す〝良導体〟で、金属ほどではないが電気（電磁気）を通すのが常識である。

さらに「電磁波（電磁気）」&「電波（マイクロウェーブ）」も低周波ほど地面を貫通し、事実、軍事衛星やシャトルから「SAR（合成開口レーダー）」の低周波をレーダー照射すれば、地下に隠された構造が全て明らかになり、「plasmoid（プラズモイド）」にすれば地下深くまで打ち込むことができ、それをプラズマ学の専門物理用語で「透過」という。

海水も同様で、マイクロウェーブをアナログで通すのは不可能だが、デジタル化すれば、深海の地震の巣に「プラズマ」を打ち込むことも可能である。

気象操作など地震に比べれば比較的簡単で、電離層を照射して熱くするだけで、下の大気層が上部に膨張して気圧が下がり、巨大ハリケーンを発生させたり、急成長させたり、ある程度なら目的の方向へ進行させることができる。

アメリカの闇の政府「DS／Deep State（ディープステート）」は、アメリカ大統領のように4年ごとに入れ替わるようなシステムでは世界を制覇できないと、巨大資本家コンツェルンとアメリカ軍を支配するロックフェラーを中心とした「影の政府」が、真の「HAARP」の持ち主である。

さらに、イギリスの「イルミナティ【後期】／Illuminati（Late-day）」のロスチャイルドが、国際金融システムで世界を牛耳り、最終的に「DS」のロックフェラーと共に「第三次世界大戦」を経て、超富裕層だけが生き残り、5億の奴隷を働かせる夢の世界を築くため、国連に「Great Reset（グレートリセット）」の「SDGs」を急がせている。

彼らは、ハムの息子の一人クシュのカナン人の一族である猛悪の王ニムロドの末裔で、ヤ・ゥマト（ヤハウェの民：ヘブライ語）が、人類最後の令和の大和民族に書き残した預言書『聖書外典』や「タルムード」に、ニムロド王の戦略が書き残されている。

セムの名が一貫して歴史記録の中で悪く伝えられ、伏せられる理由を理解するには、極めて下劣で邪悪なカナンの記録に戻らねばならない。

ハムの息子のカナンは実に邪悪な人間で、子孫に残した遺言こそ今に続く〝悪の教義〟である。

「カナンの息子たちに5つのことを課した。互いに愛すること。盗みを愛すること。姦淫を愛すること。主人を憎むこと。真実を語らないこと。」（『バビロニアのタルムード』「カナンの遺言」）

カナンと同じハムの子孫のニムロド王の末裔は、「カナンの遺言」を数千年間の活動の指示書として裏切りを常として生き抜き、約束の地カナンに入った大和民族は、カナン人のクシュを領内に住まわせ、改宗させることで、その邪悪な方策を捨てさせようとした。

が、裏切りに次ぐ裏切りの連続を築かせただけで、全ての努力は徒労に終わり、逆にカナン人の神「バアル」を拝むに至って、ソロモン王の死で南北に分裂、北イスラエル王国がアッシリアに、南ユダ王国はバビロニアに征服され、バビロニア滅亡後にカナンの地に戻った大和民族は、救世主を磔にするようカナン人に唆（そその）かされ、ローマと闘うように仕向けられ、最後はマサダの砦で数人を残して玉砕させた。

今日も「カナンの遺言」は相続人であるロスチャイルドと傍系であるロックフェラーに受け継がれ、現在、国際秩序を支配する「Power-Broker（パワーブローカー）」の行動規範、指示書として生き続けている。

ニムロド王の末裔のロスチャイルドとロックフェラーは、セムの直系の大和民族に復讐心を抱き続け、アメリカナイズされた日本人は、ビル・ゲイツがディレクターとなって接種させた「ゲノム遺伝子操作遅延死ワクチン」で確実に死への引導を渡された。

さらに「統一教会」と足並みを揃える在日支配の自民党が、ゲノム遺伝子操作で巨大コオロギをつくり、それを磨り潰したパウダーを食品に混ぜれば、ゲノム染色体に取り付く脳を溶かす「変異型プリオン蛋白質」を摂取するため、日本人の最後の一人迄殺すことができる!!

final battlefield ⑬

ロシアからの驚愕情報！　ウクライナの債務不履行で、日本は世界銀行グループの損失を全額負担する!!

２０２３年7月1日、何でもアメリカの言いなりの〝茹で蛙〟の日本人に、衝撃の一撃がロシアによって炸裂した!!

ロスチャイルド傘下の「WBG／World Bank Group（世界銀行グループ）」に窓口を残すロシア事務所の消息筋が、モスクワを基点とするロシア政府系メディア「SPUTNIK（スプートニク通信）」からトンデモナイ情報が日本人に提供されたのだ!!

戦火が続くウクライナが債務不履行（デフォルト）に陥った場合、日本が「世界銀行」の主な融資機関「IBRD（国際復興開発銀行）」の損失を、利子を含めて全額負担する約束になっているというのだ!!

これは日本人の好きな「連帯保証人制度」で、世界の先進諸国はこんな馬鹿な制度を認めていないが、日本人だけは今も「連帯保証人制度」を使うため、足元を狙われたことになり、これを許諾したのは半島系「統一教会」と在日支配の自民党政府である!!

同様に在日系がＴＯＰを占めるＮＨＫを初めとする日本のＴＶ各局は、トップニュースどころか一切報道しない姿勢を貫いているが、これが事実ならいつまでも隠し通せるものではない。

ロシアの消息筋は「世界銀行」がウクライナ融資の信用リスクについて発表したことにも言及、したがって「世界銀行」は、この信用リスクを関係国に移転することになる。

さらにロシアの消息筋は、「ＩＭＦ（国際通貨基金）」と「ＩＢＲＤ（国際復興開発銀行）」の「ブレトンウッズ機関」の枠組みの中、ウクライナ融資の主な負担を担うのは「ＩＭＦ（国際通貨基金）」で、「世界銀行」は提供される援助の支出の目的を監視するだけとし、ウクライナがデフォルトで破綻した場合、全責任は日本が負うことになるとした!!

「世界銀行グループ」は「ＩＢＲＤ（国際復興開発銀行）」「ＩＦＣ（国際金融公社）」「ＩＤＡ（国際開発協会）」「ＩＣＳＩＤ（国際投資紛争解決センター）」「ＭＩＧＡ（多数国間投資保証機関）」の５つの国際機関で構成され、ここで連帯保証人になる意味は、返済する最終責任は日本人一人一人にあるということだ!!

ウクライナが最悪の状況は反転攻勢の困難さを見れば分かるが、2022年8月12日時点で、NYとロンドンに拠点を置くアメリカの格付け会社「S＆P（S&P Global Ratings)」と「Fitch Ratings Ltd（フィッチ・レーティングス)」が、ウクライナの外貨建て格付けについて、部分的デフォルト（債務不履行）を示す「SD（選択的デフォルト)」「RD（制限的デフォルト)」を引き下げ、債務再編は困難と判断したことだ。

ウクライナの国債を保有する海外債権者は、2022年時点で、少なくとも200億ドル（2兆4000億円）の国債の2年の支払い凍結で合意したものの、期限は2024年で終わるため、そのままなら日本が損害額を全額保障することになる。

その間も「S＆P」はウクライナの国債を「CC／C」→「SD／SD」に引き下げ、デフォルトに等しいと判断し、「フィッチ」もウクライナの長期外貨建て格付けを「C」→「RD」に引き下げている。

ロシアの「ウクライナ侵攻」による「マクロ経済」「財政困難」による「自国通貨建て債務」も返済が厳しくなった結果、「自国通貨建て格付」けを「Bマイナス／B」→「CCCプラス／C」に引き下げている。

そんな巨大債務のウクライナの連帯保証人に在日支配の自民党政府が名乗りを上げ、最終的に連帯責任を日本人の増税で払うことになる。

アメリカが韓国経済を危険として、踏み倒し可能の「通貨スワップ」を結ばず、韓国銀行と米国連邦準備制度理事会（Federal Reserve Board）が締結した（２０２３年3月で切れた）のは、期限付き「為替スワップ」である。

２０２３年5月11日、麻生太郎副総理が韓国を訪問した際、「日韓通貨スワップ」の下準備をし、日本の信用を一方的に利用できる韓国圧倒的有利の「通貨スワップ」を再び結ぶことになったのは、膨大なリスクを日本が被れとするバイデン政権の命令だからで、せめて〝ドルスワップ〟にしたことが救いだが、韓国が経済破綻すれば日本の大損害になることに変わりはない。

安倍政権以降、アメリカが援助しなければならないアジア各国へ日本が兆単位で援助するのが通例になり、岸田政権になってそれに遠慮がなくなり、その分を国民への大増税の嵐で乗り切る気でいる。

なぜこんな真似ができるかというと、既に日本人はビル・ゲイツ製母型の「ゲノム遺伝子操作溶液」を接種したからで、その数は２０２３年3月末時点で1億４６８万９５２８人に達し、２０２４年あたりでほとんどが死んで日本からいなくなるからだ。

結果、残された膨大な死者の預貯金と資産は、自民党政府が超法規的措置で預かり、そこからロスチャイルドとロックフェラーに渡される……なぜなら、財務省が日本の借金1228兆5000億円以上（2023年7月）を、赤ん坊を含む一人当たり1239万円以上の借金と世界に向けて発信しているからである。

実際は国民が政府に金を貸しているのだが、「日米合同委員会」でアメリカと在日朝鮮人がつるむ財務省が、国民が返すべき借金と認定している。

これは1億人が悶絶死して経済崩壊した日本の建て直しに乗り出す「IMF（国際通貨基金）」にとって、この上なく美味しい餌で、「IMF」の持ち主であるロックフェラーが頂戴することになる。

今や在日アメリカ軍を含め、いなくなる1億人以上の日本人の行き場のない預貯金・資産、日本企業の内部留保金、タックスヘイブン資産、海外不動産資産などの争奪戦が前倒しで起きている……

そんな中、国連の「SDGs詐欺」の「コオロギ（ゴキブリ）パウダー」で、生き残っては困る非接種者を急いで殺す必要が今の在日自民党にある!!

一刻も早く日本人を合法的に皆殺しにし、行き場のなくなった天文学的な分け前を、アメリカのロックフェラーとイギリスのロスチャイルドが頂戴するのを応援こそすれ、邪魔などしてはならない……在日までが全員殺されるからだ。

final battlefield ⑭

岸田内閣は日本人の〝自動殺戮装置〟と化した！ 2度接種以上で確実に死ぬ⁉ 日本人のいない日本の財産分取り合戦はすでに始まっている‼

終戦直後、アメリカの日本占領政策は、在日朝鮮人を「戦勝国民」として優遇、アメリカのステルス支配に従う「ＷＧＩＰ／War Guilt Information Program（戦争についての罪悪感を日本人の心に植え付けるための宣伝計画）」体制で日本人を支配し、コントロールしてきた。

その日本を統治するのは「アメリカ政府」ではなく、ダグラス・マッカーサー以来ずっと「アメリカ軍」で、その中枢が「横田基地」（東京都多摩地域）とされ、首都上空を終戦直後から「横田空域」として支配している。

東京の「アメリカ大使館」は〝極東ＣＩＡ本部〟が正体で、「ＣＩＡ（中央情報局）」の目的は日本のみならず、ロシア、中国、北朝鮮を監視することである。

一方、「三沢基地」にも「三沢空域」があり、日本人を傍聴監視する通信傍受システム「ＥＣＨＥＬＯＮ（エシュロン）」があり、アメリカ、イギリス、カナダ、オーストラリア、ニュージーランドの白人5か国の「ファイブ・アイズ」で日本人の個別情報を共有し、「横田基地」の「ＮＳＡ（国家安全保障局）」が全情報を統括、ＮＴＴ、ｄｏｃｏｍｏ、ａｕ、ＳｏｆｔＢａｎｋなどが、「ＮＳＡ」に顧客情報を垂れ流してアメリカに協力している。

もちろん、「エシュロン」はロシア、中国、北朝鮮の通信も傍聴しており、その全ての情報を「第二次世界大戦」で勝利した連合国民主主義圏の白人国家だけが共有している。

日本を本当に支配しているのはアメリカ軍の「ペンタゴン（国防総省）」で、その全権を持つのが「横田基地」であり、そのアメリカ軍が隔週ごとに省庁の在日朝鮮人上層部と会議する「日米合同委員会（Japan-US Joint Committee）」が開催されるが、表向きの理由は「日米地位協定問題」の帰結だが、それを隔週でやるほど地位協定は進展していないため、「日米合同委員会」は何かを裏で決定していることになる!!

その席では、在日米軍司令部第五部長、在日米陸軍司令部参謀長、在日米空軍司令部副司令官、在日米海兵隊基地司令部参謀長らが、法務省大臣官房長、農林水産省経営局長、防衛省地方協力局長、外務省北米参事官、財務省大臣官房審議官に命令を下

し、アメリカ大使館公使はアメリカ駐日大使へ報告する役目でしかない。

在日系国会議員と半島系「統一教会」でできている「自民党」の役目は、北朝鮮系創価学会・公明党と協力しながら、「日米合同委員会」で決まった内容を圧倒的議席数で法案化させる役目で、様々な在日で構成される「日本会議」もアメリカのために働く協力団体に過ぎない。

自民党の岩盤層である地方も「統一教会」が支配しており、村議会、町議会、市議会はもちろん、東京都議会にも「統一教会」が根を張り、組織票として自民党の圧倒的有利を図り、地方議員の多くは自民党でも〝無所属〟の名で誤魔化し、首長の知事に至っては自民党の名を隠して「自民党・公明党協力」で当選する小狡さだ。

自民党は、選挙民も学生も幼児も、ほとんどビル・ゲイツ製母型のゲノム遺伝子操作ワクチン（遅延死溶液）で死んでいなくなることを知っており、「グレートリセット」後の新世界「New World Order（新世界秩序）」に自分たちだけは生き残れるよう「日米合同委員会」の命令に忠実に従っている。

「遅延死ワクチン」は、全国接種が始まった２０２１年春から２０２３年春で２年になるため、既にウクライナの戦死者数を12万人も超える勢いでワクチン接種者が死んでおり、２０２４年の接種後3年に突入すると、「ファイザー」の（元）副社長で遅延死ワクチン開発者の医学博士マイケル・イードンが忠告した「コロナワクチンを打つと2年以内、遅くとも3年ほどで死ぬことになる!!」が一気に現実化する。

一度でも接種したら良くても生涯寝た切りか重い後遺症が残るとされ、２度接種以上で確実に死ぬ。日本人の遅延死ワクチン接種数は、２０２３年7月4日時点のデジタル庁発表は以下の通り。

１回目接種数：９８１９万２６５８回（全人口の77・98パーセント）、２回目接種数：９７６４万２０６１回（全人口の77・54パーセント）、3回目接種数：８６５５万４７８３回（全人口の68・74パーセント）で、２０２３年後半から一気に日本人の死者数が加速、２０２４年から数千万人単位で日本からいなくなる。

それまでに、「マイナンバーカード」を「保険証」と連結させせないと、誰がいつどのワクチンを接種し、いつ入院し、何日で死んだかの詳細なデーターが分からないし、誰が接種していないかが分からないため、ロックフェラーの命令を伝える「日米合同委員会」は、今の自民党の体たらく状態は許さないだろう。

よって岸田内閣はなにが何でも「マイナンバーカード」を押し切らねばならなくなっており、仮に生き残っても無能と評されアメリカに殺される羽目に陥る。

また、日本人の個人財産である預貯金、簡保、資産なども、法人・企業の社内留保金、国内外資産、国債、株券は、別途、特別法案を作り政府預りにしてしまえばいい。自民党は、２０２４年の新札発行を機に、高齢者のタンス預金を新札発行で炙り出そうともしている。

李氏朝鮮の末裔で、国会答弁で「私が国家ですよ!!」と発言した（故）安倍晋三は、太陽王ルイ14世の「朕は国家なり」と同じ意味で使ったつもりが、悪運尽きてビルの屋上から自衛隊のスナイパーによる「軍事用無煙エアーガン」と、体内で溶ける「氷結弾」で暗殺された。

その安倍（李）晋三の回顧録にある謎の言葉「国が滅びても、財政規律が保たれてさえいれば、満足なんです!!」は、日本人が全て死んでも、日本国民の資産・財産の全データさえ残っていれば、アメリカに渡すことができるという意味だ。

今や日本人を一人残さず合法的に殺すアメリカの〝自動殺戮装置〟と化した岸田総理と自民党は、ゲノム遺伝子操作で人工的につくる「巨大ゲノムコオロギ（ゴキブリ）」を、全加工食品に「アミノ酸」「調味料」として紛れ込ませ、コンビニ、スーパー、ファミレス、菓子、冷凍食、フリーズ・ドライ食品として食べさせればいいだけだ。

ゲノム生物の染色体「ＤＮＡ」を覆う「プリオン蛋白質」が、ビル・ゲイツの仕掛けた「変異型プリオン蛋白質〈スクレイピープリオン蛋白質（ＰｒＰＳｃ）〉」に変貌するため、それを磨り潰したパウダーにして消化器系から脳に直接取り込ませれば、「狂牛病」の危険部位を食べた場合と同じ、早ければ4カ月で発症し、ゲノムワクチン遅延死に追いつくため、在日支配の自民党にとれば無事に帳尻が合うのである!!

final battlefield ⑮

日本人全員の預貯金のデータと資産を知らせろ！ アメリカの命令で在日自民党は高齢者の「箪笥預金」まで炙りだす！

「マイナンバーカード」は「保険証」「免許証」だけでなく、「預貯金口座」と連動させると、公金受け取りがスムーズにできるとし、登録すると褒美として７５００円分のポイント（現金ではない）が付与される。

が、日本国民の預貯金額データが、在日支配の「自民党」に駄々洩れとなり、ビル・ゲイツが仕掛けた「遅延死ゲノムワクチン」で、接種後ほぼ3年で死亡するため、1億人が悶絶死する２０２４年以降までに、全国民の預貯金と資産を「自民党」が掌握しておく必要がある!!

そのため、河野デジタル大臣は何があっても「マイナンバーカード」を推し進めているのである。

「太平洋戦争」に勝利した連合国軍最高司令官のダグラス・マッカーサーは、「厚木基地」に降り立つ直前、「GHQ／General Headquarters of the Supreme Commander for the Allied Powers（連合国軍最高司令官総司令部）」に命じて、日本が併合した半島の在日朝鮮人を〝戦勝国民〟にする口約束で、「GHQ」の命令通り日本人を支配するよう命じ、占領軍の残飯や物資を流して「闇市」を運営させ、駅前の一等地を与えていった。

同時に、「GHQ」の下部組織「CIE／Civil Information and Educational Section（民間情報教育局）」が、アメリカが如何に正義で、日本が如何に悪辣な国家だったかを思い知らせるため、「WGIP／War Guilt Information Program（戦争についての罪悪感を日本人の心に植え付けるための宣伝計画）」を実行し、同時にマッカーサーは「朝鮮戦争」の際、韓国初代大統領の李承晩（リショウバン）に、日本を永久に卑しめ続ければ、その都度、日本から多額の賠償金を払わせると指導する。

李承晩は、韓国も在日朝鮮人と同じ〝戦勝国民〟にするよう訴えたが、その答えの前にマッカーサーは任を解かれて帰国してしまった。

その間、「GHQ」は、「巣鴨プリズン」に収容されていた李氏朝鮮の末裔の岸（李）信介をA級戦犯から解放、アメリカのために働くよう命じ、後にCIAが「自民党」の総理大臣に岸を持ち上げ「日米安保改正」を締結させる。

同時に、半島で見つけた文鮮明を「自民党」に癒着させることで「統一教会」と「自民党」を一体化させ、同時にCIAは「自民党」を介して「在日特権」「在日就職枠」「通名制」「特別永住権」を次々と在日朝鮮人に与え、大学も大企業もほとんど無試験で入れ、霞が関の省庁も高卒でも在日なら無試験で入れ、瞬く間に上層部を支配して数が増えたら、次々と日本の大企業と大学経営陣へ天下りさせていった。

もちろん、「自民党」にも在日が日本名で選挙に出て「統一教会」の協力で次々と国会議員になり、野党も在日が大量に入り込み、日本の政界は在日が幅を利かせ、それらの中から特権階級の「上級国民」が生まれていく。

その在日と「統一教会」が支配する「自民党」に、アメリカ軍が仕切る「日米合同委員会（Japan-US Joint Committee）」が日本人全員の預貯金データと資産をアメリカに知らせるよう命じ、2024年に新札切り替えを決行させ、高齢者の多くがやる「箪笥預金」を炙り出すようにしている。

一方の「アメリカ大使館（極東CIA本部）」は、バタバタと遅延死ワクチン接種で死ぬ日本人が気づく前に、「ＳＤＧｓ」推進の名目で「遅延死ワクチン」と同じゲノムの遺伝子操作でつくる衛生的で合理的な高タンパク質を持つ「ゲノム巨大コオロギ（ゴキブリと近似種）パウダー」を全加工食品に混ぜるよう指導している。

既に日本列島は、中曽根康弘がレーガン大統領に「日本列島を不沈空母にしてくださって結構です」から、「ペンタゴン（アメリカ国防総省）」は、表向きはどうあれ日本列島をハワイ州と併合しており、そのハワイ州と富士山が一体化した星条旗が、最近まで有楽町の「外国人記者クラブ」のＢＡＲに「アメリカ大使館（極東ＣＩＡ本部）」の寄進として掲げられていた。

２０２４年以降から1億人が亡びて消える日本は、アメリカやイギリスにとれば、入れ食い状態で日本人と大企業の財産を頂戴できる狩場となり、自民党の超法規的措置で合法的に強奪できるようになっていく。

在日支配の「自民党」の最大の役目は、アメリカに日本国を代表して「日米併合」を願い出ることである。

これにより、自民党、ＴＶ各局、マスゴミ、省庁、大学、大企業のＴＯＰを占める在日朝鮮人は、日本国内にいてアメリカ国籍となり、更なる戦勝国民となってロックフェラーに日本列島を献上するのである!!

一方のロスチャイルドは、ヤ・ゥマトを滅亡させた美酒に酔いしれ、ロックフェラーを配下に「世界統一政府」の樹立へと大きく動き出す!!

final battlefield ⑯

2024年で1億人が消える腹づもり！　財務省がロックフェラーとつながっている！　マイナンバーカードとクレジットカードとの直結を狙うその意味は、収奪!!

今、コリアＪＡＰＡＮは、「マイナンバーカード」の大混乱状態に陥っている。「マイナンバーカード」で証明書を誤交付するトラブルが連続発生、「マイナンバーカード」と「健康保険証」が一体化した「マイナ保険証」で別人の医療情報が登録されるトラブルが続出、顔写真に30年前の物が使われたり、アニメ編集された顔でも通る始末……

最も多いのが、４桁のパスワードを忘れた結果３回間違えてロックされ、ロック解除は居住の市区町村の窓口で顔写真付き公的証明書が必要になるばかりか、医療施設で「マイナ保険証」を使用したら〝無効〟と表示され、患者が10割負担を請求されるトラブルも各地で起き、厚労省から「従来の保険証も一緒に持参してください」と呼びかけるどうしようもない有様に陥っている。

結果、トラブル続出で市区町村の窓口が大混乱になる中、河野デジタル大臣は、開発した企業（富士通）が悪いだの、窓口の人間の無能さを論（あげつら）う馬鹿さ加減を露呈している。

最悪は、２０２３年7月4日、松本剛明総務相が閣議後の記者会見の場で、「暗証番号の設定が不要なマイナンバーカードを交付できるよう検討している!!」発言まで飛び出す始末で、そんなことをしたら、クレジットカードとも連動する「マイナンバーカード」は、落としたら最後、人生が終焉することになる!!

この程度で済むのは軽い方で、「保険証」と一体化すれば、「保険証」を使った通院記録が第三者には見るのは無理でも、日本（自民党）政府が監視目的で集約するため、最終的に「ゲノム遺伝子操作ワクチン」の死亡までの詳細な経過（通院記録）と、「ゲノム遺伝子操作ワクチン」の非接種者の特定までが日本（自民党）政府に知られることになる。

さらに言えば、終戦後から日本を支配するアメリカ軍の主催する「日米合同委員会（Japan-US Joint Committee）」を通し、アメリカ軍からアメリカ政府、さらにＤＳのロックフェラーに日本人の全ての個人情報が掌握されることから、こんな愚かしいシステムは日本から消さねばならない。

おまけに、預金口座まで連動すると、個人の預貯金まで「マイナンバーカード」でつながることから、個人資産が日本（自民党）政府に筒抜けになり、一番喜ぶのは「税務署」と思われがちだがそうではなく、日本の大赤字は日本人が引き受ける借金と言い放つ在日が支配する「財務省」で、「日米合同委員会」の場でアメリカ軍の指示を受ける中に「財務省大臣官房審議官」がいる。

その「財務省」がアメリカのロックフェラーとつながっているのである!!

「日米合同委員会」は「マイナンバーカード」と「クレジットカード」と直結できる機能を付けるよう命令しており、クレジット決算データもアメリカが掌握できるため、２０２４年に日本人のほとんどがビル・ゲイツ製母型ゲノム遺伝子操作ワクチン接種でいなくなると、財務省を介して日本人の財産を全て徴収できる。

それを「自民党政府」は以下のように説明してメリットのみを強調する。

「政府はマイナ保険証を利用することで患者の負担を軽減、過去の薬剤情報や特定健診結果などの医療データを一元管理し、医師や薬剤師と共有することで、データに基づくより良い医療を提供できる」

12桁の個人番号に過ぎない「マイナンバー」から「病歴」「通院履歴」は関係ない

が、ＩＣチップ内蔵の「マイナンバーカード」の場合、「健康保険証」として利用する度に、「医療データ」は、「横田基地」のＮＳＡが持つ「アメリカ製一元管理システム」にプールされる〝横道〟が用意されているため、そこから大量に個人データがアメリカへ横流しされるのだ‼

一方、日本では「利用者証明用電子証明書」と同時に知られると「マイナポータル」から特定健診の結果や薬の情報を知られるため、「マイナンバーカード」と「暗証番号」を一緒に保管すると人生が終わることになる。

それを見越したのか、自民党は〝暗証番号破棄〟と言い出したわけで、「保険記録」がユルユルになることを前提にした言葉としか思えない。

どちらにせよ、ビル・ゲイツのＷｉｎｄｏｗｓの〝バックドア〟から簡単にシステムに入れるため、「横田基地」のＮＳＡか、「アメリカ大使館」のＣＩＡに掛かれば、分散管理型の「マイナンバーカード」のセキュリティなど簡単に突破でき、「自民党政府」がアメリカに日本人の個人情報を渡すことが前提の「マイナンバーカード」のため、ロックフェラーに筒抜けになるのは当たり前である。

そんな愚かしい「マイナンバーカード」なら突っ返してしまえばよく、個人に宛がわれた「マイナンバー」はそのまま残されるが、例えば「保険証」にしても、毎年更新のために市区町村役場に赴かねばならない程度で済む。

Ｔｗｉｔｔｅｒのハッシュタグなどで展開している『マイナカード返納運動』は、在日が支配する自民党政府に対し、選挙以外の方法でダメージを与えることができる。

「マイナンバーカード」は、国や地方自治体の窓口で行う個人の様々な手続きを簡素化することが目的のはずが、実際はアメリカに日本人の医療データと財産データを渡す底意があるだけに、窓口の職員負担がパンクする様子を見ていると、現場には悪いが、自民党には「ざまあみろ」である!!

最善の策は、「マイナンバーカード」を廃止することで、どうせ幾らパッチワークしてもどうにもならないはずで、トラブルが連鎖的に起きている以上、２００２年に鳴り物入りで登場した『住民基本台帳ネットワーク（住基ネット）』と同様、コンビニで住民票を取る以外に何の役にも立たないシステムである。

最悪の予想は、業を煮やしたアメリカの「ＡＩ企業」「ＩＴシステム企業」が日本の「マイナンバーカード」に代行として参入してくることだ!!

final battlefield ⑰

ロスチャイルド、ロックフェラーは『聖書』を悪用して世界史を偽造し続けるカナン人、ニムロドの末裔！

『新約聖書』の末尾の「ヨハネによる黙示録」は、バチカンから長年〝異端〟とされてきたが、その理由はヤ・ゥマト（ヘブライ語：ヤハゥエの民）ではないローマ人にはサッパリ意味が分からないからだ。

預言者の雷の子ヨハネがパトモス島で啓示を受け、大和民族を救う鍵を隠して〝黙示〟にしたからだが、その不可解な黙示録を勝手なフォルダーにし、そこへ『旧約聖書』を都合よく適当に放り込んだのが「イルミナティ【後期】／Illuminati（Late-day）」である。

1776年、イエズス会の修道士で「インゴルシュタット大学」の教授アダム・ヴァイスハウプトが、バイエルンに設立した啓蒙思想組織が「イルミナティ」だった。

が、莫大な資産を持つドイツのロスチャイルドの始祖マイアー・アムシェル・ロートシルトが接近、ヴァイスハウプトが所属する「フリーメーソン」ごと乗っ取る計画が失敗したため、自ら秘密結社「イルミナティ【後期】／Illuminati（Late-day）」を創り上げる。

その後、ロスチャイルドは本拠地をイギリスへ移し、傍系のアメリカのロックフェラーと一緒に、アシュケナジー系ユダヤ人を徹底的に利用するため、ユダヤ教徒が信仰する『旧約聖書』の「エゼキエル書」「ダニエル書」を悪用、カナン人の「バアル神」の世界統一宗教化の土台の目的で白人種のイスラエルを建国させる。

アドルフ・ヒトラーがユダヤ人を忌み嫌い、ナチスがアウシュビッツに代表される強制収容所で数百万人のユダヤ人をホロコーストした歴史は、戦勝国であるロスチャイルドのイギリスとロックフェラーのアメリカ中心の「ニュルンベルク裁判」でつくり上げた歴史である。

実は長年ヨーロッパ各国はアシュケナジー系ユダヤ人を迫害し続け、シェイクスピアも「ベニスの商人」でユダヤ人を忌み嫌ったが、この悪名高い高利貸しこそ後の世のロスチャイルドとされる。

中世ヨーロッパでは、黒死病（ペスト）が流行るとユダヤ人のせいにされ、飢饉があるとユダヤ人への神の罰に巻き込まれたとされ、アシュケナジー系ユダヤ人はカナン人のせいで散々な目に遭っていく。

歴史の裏を膨大な資金と基軸通貨（ドルの前はポンドだった）でコントロールするロスチャイルドとロックフェラーの正体は、セム系モンゴロイドのヤ・ゥマト（ヤハウェの民：ヘブライ語）の大和民族に取り入り、内部から崩壊させたカナン人であり、さらに言えば、彼らは絶対神ヤハウェに徹底的に逆らったニムロド王の末裔である。

彼らに情けを掛けて領内に取り込んだヤ・ゥマトは、彼らの娘と婚姻を結んだ結果、「バアル神」を崇拝するまでに堕落し、徹底的に内部から食い荒らされた結果、彼らの先導で救世主まで殺され、蛇の舌に騙されてローマ帝国に戦争を仕掛けて亡ぼされてしまう。

そのユダヤの地から、北東に位置する白人国家「ハザール汗国」に、ロスチャイルドの先祖のカナン人が集団移動し、そこで自分の娘たちをヤ・ゥマトにしたように白人に次々と嫁がせ、子孫を白人化させていった。

アラブの歴史家マスウーディーは、ハザールの王ハールーン・アッ＝ラシード（在位期間：７８６〜８０９年）の時代、「ビザンチン（ギリシア正教）」と「アッバース朝（イスラム教）」に挟まれ苦慮していたとき、同じ様に苦しめられていたユダヤ人（偽ヤ・ゥマト＝カナン人）が大挙してやって来て、彼らから「ユダヤ教」を受け入れ救われたとある。

ヤ・ゥマトに化けたカナン人は、苦境に追い込まれた「ハザール汗国」の状況を見て、チャンスを逃さず白人の王族に娘たちを嫁がせて取り入り、彼らの多くをユダヤ教に改宗させたのである。

その後、何度かの有為曲折を経た9世紀、ついに「ウマイア朝」に亡ぼされた「ハザール汗国」の白人たちは、同化したカナン人と一緒に、ユダヤ教に改宗した白人のアシュケナジー系ユダヤとして東ヨーロッパに集団で移動、そこで今のユダヤ人となった。

ヒトラーが政権を奪った時、大勢のアシュケナジー系ユダヤ人が、ドイツから「セントルイス号」に乗ってアメリカに脱出したが、ロックフェラーと関係が深いルーズベルト大統領は、避難民を冷酷に追い返している。

他のヨーロッパ各国も大同小異で、ユダヤ人をナチスに始末させようと裏で思っていたふしがあり、ナチスもそんな諸外国の罠に嵌りたくないため、最初はマダガスカル島へ全員を移住させようとしたが、ロスチャイルドの命令でイギリスが先回りし、マダガスカル島を占拠封鎖したため、ナチスは打つ手を失うのである。

結果、領土拡大の度に増えつづけるアシュケナジー系ユダヤ人に、ナチスは二進も三進もいかなくなり、欧米の嫌われ者の彼らを始末してもどこからも文句はないと踏み、ホロコーストに走ったのが真の歴史である。

今、大和民族はその時とソックリの構造で支配され、「イルミナティ【後期】／Illuminati（Late-day）」が創作する『聖書』を悪用した偽歴史の片棒を担がされている……

ヤ・ゥマトが『旧約聖書』『新約聖書』を記した理由は、最後の日に大和民族が救われるためで、ヤ・ゥマトはパウロ以外は他民族に宣教活動をせず、異民族に伝道しないのが基本で、「神道」を見ても「同化」以外の伝道はしない。

そのことから、偽ヤ・ゥマトのカナン人は、大和民族の聖典を用いて「ハザール汗国」の王族に取り入り、パウロのやり方を真似て白人種でも改宗すればユダヤ人になれるとし、さらに自分たちの娘（女性）が産んだ子は全てユダヤ人にする今に至る前例をつくり上げた。

そのロスチャイルドのイギリスが、「二枚舌外交」で白人種のイスラエルを建国し、ロックフェラーのアメリカがイスラエルを承認して武器を援助し、ロスチャイルドが莫大な資産を送り込んでアシュケナジー系ユダヤ人を洗脳していった。

１９４７年、ロスチャイルドのイギリスが委任統治するヨルダン川西岸地区のクムランの丘から20世紀最大の考古学的発見「死海写本」が世に出た結果、「民族の宝」

を手に入れたアシュケナジー系ユダヤ人は、翌1948年5月14日、初代首相ベン＝グリオンが行った独立宣言は以下の預言が悪用されたからだ。
「エルサレム復興と再建についての御言葉が出されてから油注がれた君の到来まで七週あり、また、六十二週あって危機のうちに広場と堀は再建される。」（『旧約聖書』「ダニエル書」第9章25節）
民族の宝が世に出て「7週＋62週＝69週（7×69＝483日）目の360日（1年）＋123日（約4カ月）後に、預言通りイスラエルが建国されたことになり、さらに次なる預言で「エルサレム奪還」となる。
「さて、わたしダニエルは文書を読んでいて、エルサレムの荒廃の時が終わるまでには、主が預言者エレミヤに告げられたように七十年という年数のあることを悟った。」（『旧約聖書』「ダニエル書」第9章2節）
この預言で、建国から「1948年＋70年」の2018年でエルサレム奪還が果たされるが、2017年12月6日、ロックフェラーが背後につくトランプ（元）大統領がエルサレムをイスラエルの首都と承認、2018年5月14日、テルアビブからエルサレムへアメリカ大使館が移転することでエルサレムがイスラエルの首都と固定化したが、もちろん、ロスチャイルドとロックフェラーの「イルミナティ【後期】／

Illuminati（Late-day）」の〝ヤラセ〟である。

次が「第三神殿」建設の預言の成就で、２０２１年３月16日、65年ぶり再び「死海文書」が発見されたため、「ダニエル書」の69週目から２０２１年３月の１年４カ月後の２０２２年７月17日が「第三神殿建設」となった。

ところが、ユダヤの「レガリア」を天皇徳仁（なるひと）陛下を韓国の新大統領を祝う席に国賓として、自民党が送り出す手筈で、政府専用機の「ボーイング７７７－３００ＥＲ」を墜落させる計画が、プーチン大統領の「ウクライナ侵攻」（２０２２年２月24日）と、自民党最大派閥で在日の巣窟「清和会」を牛耳ることで陛下暗殺に協力するはずの安倍（李）晋三自身が、国賊として奈良で暗殺された結果、天皇暗殺が先送りになる。

同様に先送りになる「第三神殿」の預言など聞いたことがないが、ロスチャイルドとロックフェラーのＦＡＫＥ預言は大きく躓（つまず）くことになった。実はその前の２０１８年11月６日、ロスチャイルドとロックフェラーの英米メディアが、イスラエルで預言された「赤牛」の誕生を大きく伝えていた。

「イスラエルに２０００年ぶりに預言の赤い雄牛が誕生!!」

「死海に預言の魚が生息していることが確認!!」

「嘆きの壁に預言のヘビが出現!!」

「ウクライナ侵攻」についても同様だが、ロスチャイルドとロックフェラーが支配する英米はＦＡＫＥの塊で、赤い牡牛は「神殿研究所」がイスラエル政府の協力で、赤毛の「アンガス牛」の凍結した胚を輸入、それをイスラエルの牛に移植した結果、赤毛の牛ができただけで、２０２２年の「第三神殿建設」の前兆にする仕掛けだった。

死海の魚（「エゼキエル書」第47章8〜9節）の預言写真も、死海の後退でできた岩場中心の陥没穴「シンクホール」に溜まった地上からの地下水（淡水）に魚を放ったＦＡＫＥで、嘆きの壁のヘビも、切石の割れ目を住処にするヘビが冬眠の前に餌を探しに巣から出たに過ぎない。

このように、カナン人の末裔であるロスチャイルドとロックフェラーによる大小組み合わせた様々なＦＡＫＥが用意される。偽物が次々判明する「死海写本」に限らず、〝創作の黙示録〟にアシュケナジー系ユダヤ人が騙され、最後はビル・ゲイツ製母型のゲノム遺伝子操作溶液の接種で、接種を否定する多くのラビ以外はほとんど地上から消え去る運命である。

final battlefield

⑱

洗脳心理作戦！　彼らはこうして人類史上最悪の「世界規模ホロコースト」に仕立て上げていった!!

２０１９年12月末に中国の武漢で発見された新型コロナウイルス「ＣＯＶＩＤ－19」は、翌２０２０年の中国の「春節」で世界中に拡大し、欧米における感染死者数の大激増がニュースで伝わる中、イギリスの豪華クルーズ船「ダイヤモンド・プリンセス号」の７１２人感染で横浜港での「下船禁止」「船内隔離」がマスゴミで３カ月近くも放送され、日本中が大パニックに陥った。

これが「第１波：２０２０年１～６月」で、１月16日に国内初感染者を確認後、全国の感染者数のピークは４月11日段階で６４４人、３月から３カ月間の全国一斉休校が始まり、同年夏開催予定だった、李氏朝鮮の安倍晋三による日本支配を祝う「東京コリアンピック２０２０」が１年延期になる。

４月７日、日本初の「緊急事態宣言」が発令、それが５月25日まで続く中、「第２波：２０２０年７～10月」が勃発、全国のカラオケ店などで「クラスター」が起きたと報じられ、日本は更なるパニックに陥り、「第3波：2020年11月〜21年3月」の勃発で、全国の感染者数のピークが1月8日の8045人へと拡大、観光需要喚起策「Go Toトラベル」が12月28日で全面停止する中、1月7日には2回目の「緊急事態宣言」が1都3県に発令、11都府県へと拡大した。

実は、そんな物凄い状況にあるにもかかわらず、厚生労働省の人口動態統計は、2019年度より2020年の方が日本全国の死者数が少ないという不可解な数字を出していた……

この段階でコロナはただの風邪程度で、赤ん坊と幼児が感染しても何ともないほとんど無毒だったにもかかわらず、大人たちがマスゴミに踊らされ、勝手に「狼が来た症候群」に陥った似非パニックだった。

ところが、一度火が着いたマスゴミによる誘導と、「集団心理」はそう容易く消えることはなく、そのタイミングでアメリカの最先端遺伝子医療企業「ファイザー」がドイツ企業「ビオンテック」と共同開発した「mRNA：ゲノム遺伝子操作ワクチン」が95パーセントの効果を示したというNEWSが飛び込むと、日本でも2021年春から医療関係者から順に、高齢者を優先的に摂取することが、在日が支配する「自民党」の誘導で決定する。

２０２１年４月12日から高齢者への接種が始まり、６月１日から接種対象年齢が16歳以上から12歳以上に変更、接種が一気に加速する中、５月24日「モデルナ」の「ｍＲＮＡ：ゲノム遺伝子操作ワクチン」接種が開始されると、突然、感染力の強い変異株が広がる「第４波：２０２１年４～６月」が勃発、全国の感染者数のピークは５月８日で７２４４人に拡大、接種をしても感染拡大は逆に止まらなくなる。

これは明らかに「ｍＲＮＡ：ゲノム遺伝子操作ワクチン」による免疫低下の感染が原因だが、何でも「安心理論」で片づける癖がついた〝茹で蛙〟の日本人は、最先端ワクチンを接種したので、この程度で済んだと思い込む中、都心部は「緊急事態宣言」手前の「まん延防止等重点措置」が居酒屋やレストランを直撃、大阪を切っ掛けに、違反する飲食店を監視する「見回り隊」が発足、時短営業、アクリル板設置、換気対策を徹底してチェックし始める。

ワクチン接種が一気に進む中、毒性の強いデルタ株への置き換わり（実は免疫低下が原因）が進み「第5波：２０２１年7～10月」が勃発、全国の感染者数ピークは８月20日の２５９７５人まで拡大、７月12日に4回目の「緊急事態宣言（9月30日まで）」が出て都内で医療崩壊が深刻化しても、８月23日に森喜朗と安倍晋三の半島系コンビによる「東京コリアンピック」「パラコリピック」が森喜朗が利益を得るため、無人客開幕を押し切るが、「アメリカ大使館（極東ＣＩＡ本部）」からの安倍暗殺情報が入ったため、「大会組織委員会名誉最高顧問」だったはずの安倍（李）晋三は開会式寸前でドタキャン逃走する。

ワクチン接種がエスカレートすると同時に感染拡大が次々と勃発、接種者ほど重篤に陥る矛盾が無視される中、「第６波：２０２１年11月～22年５月」が勃発、オミクロン株の流行で全国の感染者数が22年２月上旬でピークの10万人余に達し、無毒に近いはずのオミクロン株が34都道府県に広がる中、接種者の死亡だけが拡大していった。

もはや海外では、マスクもやめ、接種も効果がないとして中止される中、日本では「第７波：２０２２年６～９月」が勃発、全国の感染者数のピークは８月19日で約26万人に達し、無毒に近いが感染力が強いオミクロン株派生型「ＢＡ・５」により、ワクチンを接種したはずの岸田文雄首相の感染が判明、感染者数爆発で「救急搬送困難」が激増、「総務省消防庁」によると、全国の搬送困難事案は６０００件を超え、コロナ前同期の６倍近くに達し、ピークの８月８日～14日には６７４７件に達した。

２０２３年４月は「第８波：２０２２年10月～」が勃発、４月６日の感染者数24万５０００人に達し過去最多を更新、それでも病院などのマスク着用は必要としても、通常でのマスク着用は個人の自由に任せるとし、とうとう新型コロナをインフルエンザ並みの風邪とする「第5類」となる。

最初から「COVID－19」は風邪程度の無害なウイルスだったが、ビル・ゲイツがパンデミックの恐怖を煽り続け、「ファイザー」「モデルナ」「アストラゼネカ」などの「遺伝子操作ゲノム溶液」を接種させる〝撒き餌〟にした疑いが海外で問題化し、世界人口を5億に減らしたいロスチャイルドとロックフェラーによるホロコーストの可能性がSNSで飛び交った。

このパンデミックの大嘘は、2020年12月27日、「ジョンズ・ホプキンス大学」応用経済学修士プログラム・アシスタントプログラムディレクターのジュネーブ・ブリアン女史によって既に証明されていた……彼女は「CDC（疾病管理予防センター）」の正式なデータを使用し、毎年、全米で死亡する老人数と2020年のコロナ禍で死亡した老人の数が同じだったことを証明していたのだ。

彼女はこれを「CDCトリック」とし、従来の老人の老衰を含む死者数を全てコロナ死にカウントしていると暴いた直後、ロックフェラーによって全文が削除され、と同時に世界中のゲノム毒液接種がさらに加速、日本では2023年4月15日時点で、1回目接種数が日本の総人口1億2591万8711の内の9816万5427人（全人口の77・96パーセント）となり、mRNA溶液開発の中心人物が暴露した〝接種後3年でほぼ死亡する〟予測が正確なら、2021年接種から3年目の2024年以降から日本人の接種者のほとんどが死亡、2023年の段階でも全国の死亡者数は異様に増え始めることになる。

final battlefield ⑲

免疫機能を真っ先に書き換え、消去する機能付きmRNAワクチンと脳が溶けるプリオン蛋白質の闇について！

新型コロナウイルス「COVID－19」はただの風邪程度、せいぜいインフルエンザ未満のウイルスだが、「ビル＆メリンダ・ゲイツ財団」がゲノム技術で人工的に創り上げた人工ウイルスである。

RNAが異常に長い人工ウイルスで、変異株を次々と繰り返すよう仕組まれているだけで、ロスチャイルド、ロックフェラー、ビル・ゲイツらが感染しても死なないよう創られている。

この人工ウイルスはヒトの免疫システムに襲われすぐに対外へ排出されるが、遺伝子を書き替えたmRNAワクチンは、免疫機能を真っ先に書き替えて消去する機能が組み込まれているのは、キラー細胞に取り込まれたり溶かされて体外に排出されないためだ。

その罠に真っ先に引っ掛かったのが中国で、アメリカでCIAの工作員から渡されたアメリカが開発した生物（ウイルス）兵器「COVID－19」を受け取った中国の工作員が、武漢の「中国科学院武漢ウイルス研究所」に持ち込んだ直後、日本の「アメリカ大使館（極東CIA本部）」から送られた日本籍の二人の在日工作員が、武漢市内で「COVID－19」をばらまいたため、重慶がパンデミック発祥の地となり、2020年の中国人大移動の「春節」で一気に世界中へと拡散した。

そのため、習近平は武漢の研究所から「COVID－19」が漏れたと信じ込み、今も変異株に戦々恐々のため、最近まで「ゼロコロナ政策」を強行、上海など大都市を次々とロックダウンして中国経済を疲弊させた。

その間、出鱈目な結果を出す「PCR検査」と、「中国科興（シノバック）」製の遺伝子操作ワクチンを中国人民に接種させた結果、ビル・ゲイツが推し進める「ファイザー」「モデルナ」のmRNAほどではないが、ゲノムで遺伝子操作した結果必ず生じる「異常プリオン蛋白質」により脳が溶けてバタバタ死に始めている。

その数は200万人超とも伝えられ、この数を利用する在日支配の自民党とワクチン推奨医は、変異の度に毒性が衰えるウイルス学の常識の「オミクロン株」のカモフラージュへ転化、一刻も早いワクチン接種をと叫んだ。

一方、ワクチン接種反対の医師たちが警告するのが、脆(もろ)い染色体（RNA）を覆う「プリオン蛋白質」が、遺伝子操作で異常化し、半年で消えるmRNAやRNAと違って残り続け、蛋白質にもかかわらず分裂して大増殖し、それが脳と脊髄に定着すると、次々と脳を溶かす「狂牛病（BSE）」と同じ「クロイツフェルト・ヤコブ病（CJD）」を発症、治療法がないため3年ほどで脳が溶け始め、最後は凄まじい痙攣発作で悶絶死する!!

最近、その現象が確認され始めると、ロスチャイルドとロックフェラーの息の掛かった大病院、研究所、大学等が、それを逆手に取り始めた。

「新型コロナ」の変異株に感染すると様々な症状や後遺症を引き起こすとし、肺などに感染する「呼吸器感染症」の他、脳にも影響を与えることが最近の研究で判明したとし、世界的科学誌の『ネイチャー』で公表した。

その内容は、「新型コロナ」に感染すると〝脳の灰白質（ニューロンの集まる部位）に不可逆的な影響が及ぶ!!〟というものだ。

これは「ワクチン接種」で生じるものだが、新型コロナウイルスが脳に悪影響を与えるとし、「嗅覚障害」「強い倦怠感」「ブレインフォグ（神経症状）」「健忘症」の原因を、全て「新型コロナ（ＳＡＲＳ－ＣｏＶ－２）」の感染が原因として、イギリスの「オックスフォード大学」がそれを実証したという!!

感染前後の脳を「ＭＲＩ（Magnetic Resonance Imaging）」画像を比較して、脳の蛋白質が減っていることを証明したとした。

その影響は、脳の「嗅覚関連部位」「側頭葉」「縁上回」「小脳」に及び、脳の各部位が溶けることから患者の「認知能力」の低下が起きるとした。

コロナで死亡したとされる遺体の検死結果からもそれが確認されるとしたが、「ワクチン接種」が原因とはどこにも記されていない。

そのため『ネイチャー』誌を読んだ人々は、非接種者であっても脳が溶ける恐怖から接種に走り、接種者も更なる接種へと走り、日本ではその情報が自民党によって加速し、接種会場へ猛進する人々で溢れた。

「数字は嘘をつかないが、嘘つき（詐欺師）は数字を使う」とは、マーク・トウェインの言葉とされるが、「科学は嘘をつかないが、嘘吐きは科学を使う」ということだろうか。

このことと連動するかもしれない大和民族の預言者が「聖書」に記されており、接種開始から3年目に突入する２０２３年から一気に如実になるのだろう。

「ところで、その辺りの山で豚の大群がえさをあさっていた。汚れた霊どもはイエスに、『豚の中に送り込み、乗り移らせてくれ』と願った。イエスがお許しになったので、汚れた霊どもは出て、豚の中に入った。すると、二千匹ほどの豚の群れが崖を下って湖になだれ込み、湖の中で次々とおぼれ死んだ。」（『新約聖書』「マルコによる福音書」第5章11～13節）

アメリカに従い、ロックフェラーに従い、ビル・ゲイツに従い、在日支配の自民党に従い、創価学会・公明党に従い、アメリカ政府と一体化したキリスト教会に従い、「タダだから」「皆打っているから」「念のため」と囁（ささや）くルシフェルや悪霊に騙される日本人は、「蘇民将来」の預言を信じない「巨旦」となる。

豚には「サルモネラ属菌」「カンピロバクター・ジェジュニ／コリ」や、「有鉤条虫」「旋毛虫」の寄生虫感染もあるため、食べることは当時の「モーセの律法」で禁止されていたが、言うことを聞かない者も多かったのだろう。

同じことで、少数派の「蘇民」になれない多数派の「巨旦」は、ルシフェルと悪霊に唆（そそのか）され、自ら崖より落ちて死ぬ豚と同じ運命を辿（たど）る……

final battlefield
⑳

日本人の３分の２を駆逐する金色の「八岐大蛇（ヤマタノオロチ）」!? ２０２３年に暗黒の大新月が出現する!!

「艮金神（うしとらのこんじん）」の影響下の寅年が終わったのは２０２２年12月31日と思われているが、それは「グレゴリオ暦」で、旧暦は２０２３年１月21日だった。

結局、日本列島が〝死に体〟に陥った以外、派手なことは起きていないので、「筒粥神事」「蘇民将来」が外れたと安堵する者もいたと思うが、ヤハウェの民のヘブライ語「ヤ・ゥマト（大和民族）」の預言は、『旧約聖書』『新約聖書』を含め、イスラエルのイッサカル族に属するミシェル・ド・ノートルダム（ノストラダムス）の『百選詩集（百詩篇・百詩篇集）』も、全て旧暦で記されている。

それは「天界の大時計」を指すカレンダーで、宇宙（太陽系）における絶対的位置「ホロスコープ（十二宮図）」を読み解く「占星術（天文学）」の知識を大前提とする。『聖書』が「占い」を禁じているのは、一例として古代の天文学である「占星術」を「星占い」に利用する者が出て来るからである!!

「イエスは、ヘロデ王の時代にユダヤのベツレヘムでお生まれになった。そのとき、占星術の学者たちが東の方からエルサレムに来て、言った。『ユダヤ人の王としてお生まれになった方は、どこにおられますか。わたしたちは東方でその方の星を見たので、拝みに来たのです。』」（『新約聖書』「マタイによる福音書」第2章1～2節）

「まことに、ヤコブのうちにまじないはなく、／イスラエルのうちに占いはない。／神が何をなさるかは、／時に応じてヤコブに、／すなわちイスラエルに告げられる。」（『旧約聖書』「申命記」第23章23節）

旧暦の「虎年」が終わった２０２３年1月21日、天空では何が起きていたかというと、旧暦の基盤の「月」は、日の光を全く受けない暗黒の「新月」で、中国では翌日からChinese New Yearの「春節」を祝う日となり、21億人が中国国内と世界中に大移動する。

日本では無事に「丑（牛）年：２０２1年」「寅（虎）年：２０２2年」を終え、２０２3年1月22日から「卯（兎）年：２０２3年」が始まったが、今年の兎は

「癸卯（みずのとう）」で、暗黒の新月に相応しい〝黒兎〟の年である。

12年前の２０１１年3月11日、平成の大災害となった「東日本大震災」が同じ兎年で、干支は「辛卯（かのとう）」で、別の読みは【しんぼう】で耐え忍ぶ「辛抱」に通じ、平成の元になった「地平天成」の意味「地平らかにして、天成る」が、２０２３年の「諏訪大社：下社春宮」の「筒粥神事」の最悪の三分五厘（三行半）の読み解き「浮き沈みのない平らな一年」と不気味な符合を示している。

さらに２０２３年は、１９２３年9月1日に東京を灰燼にした「関東大震災」のちょうど百年目で、その最初の年の新月が異常だったことを御存知だろうか？

２０２３年1月22日は、西暦１０３０年以降で最も地球に接近した新月で、現在生きている者が知る最大の新月「究極スーパームーン」だった……

前述の「辛卯（かのとう）」は「干支」の組み合わせの28番目で、「辛」は、今まで伏在した「陽の力」が矛盾と抑圧から一気に発現する意味で、「十干」の「辛」は陰の「金」、十二支の「卯（兎）」は陰の「木」で、対立・矛盾する二者が争う「相剋（そうこく）」関係から、「金」が「木」に勝つ「金剋木」となり、「五行五色」の中心の「金」が表に出てくる年となる。

金は「天皇」の意味もあるが、同時に「艮金神（うしとらのこんじん）」ともなり、兎と関わるため「大（オオ）

国主命(クニヌシノミコト)」が顔を出し、別名の「須佐之男命(スサノオノミコト)」が出てくる年になる。

「須佐之男命」は大地の底の「黄泉(よみ)」と関わるため「大地震」の荒魂の神とされ、同時に巨大津波を起こす「海」の支配者でもあり、「疫病」とも関わる神として怖れられている。

さらに別名の「牛頭天王(ゴズテンノウ)」の名で「蘇民将来(そみんしょうらい)」の大罰を以って、日本人の3分の2を駆逐する金色の「八岐大蛇(ヤマタノオロチ)」をも象徴するため、接近した暗黒の新月で始まる2023年を甘く見たら最後、大変なことになる!!

final battlefield ㉑

「筒粥神事」6年連続の三行半 2023年も「御神渡り(おみわたり)」なしで、主から断たれ、日本臨終か!?

「諏訪大社」の二社四宮が囲む最大の〝結界(けっかい)〟が「諏訪湖」である。

位置は、北緯36度02分57秒と東経138度05分07秒の周囲15・9キロの長方形の〝縄張り〟で、日本最大の「境内(けいだい)」である。

「境内」とは〝神域〟として他から区別する敷地で、参拝・参詣に歩む「参道」があり、その中央は神が歩む〝天中〟のため、参拝者が原則そこを歩くことが禁止されている。

ある意味そこは踏んではならない「敷居(しきい)」で、周囲より突起して、五十鈴川から「伊勢神宮(内宮)」へ渡る大橋の「宇治橋」にも、橋の中央に「敷居」が走り、皇大御神(スメオオミカミ)の通り道とされる。

「諏訪湖」を古神道で解釈すると、南の上社で祀られる男神の「建御名方神(タケミナカタノカミ)」が、北の下社で祀られる女神の「八坂刀売神(ヤサカトメノカミ)」の処へ通う「参道」つまり「大境内」となる。

その大境内を「建御名方神」が渡った跡が、湖の全面氷結の際に現れる「御神渡(おみわた)り」の〝ひび割れ〟で、「龍神(大蛇)」が湖面を渡る様を象徴する。

この「御神渡り」が、2019年、2020年、2021年、2022年となかったため、2023年はと期待されたが、2023年2月24日、地元の「八劒神社(やつるぎ)」の宮司が「氷結せず」を宣言、5季連続の「明けの海」となった!!

なぜ「御神渡り」が今年期待されたかというと、「諏訪大社:下社春宮」の「筒粥(つつがゆ)神事」も、2018年、2019年、2020年、2021年と4年続けて「三分五厘(三行半(みくだりはん))」が出て、2022年も〝最後の僅かな光(一厘)まで耐えること〟を条件の「三分六厘（実質は三分五厘となる）」だった。

飛鳥昭雄は最悪の「三分五厘」を主から断たれる「三行半（みくだりはん）」と解き明かしたが、それが今では通説となった。そうなると「筒粥神事」の三行半は、2018年、2019年、2020年、2021年、2022年、2023年の6季連続となる!!

結果として、2023年は「諏訪湖」の御神渡りなしの「明けの海」の5回と、「諏訪大社／上社春宮」の筒粥神事で最悪の「三行半」が6回出たことで、2023年は〝喪（も）に服する年〟となる。

なぜなら、2023年の最悪の三分五厘について「諏訪大社：下社春宮」の北島和孝宮司は、「浮き沈みのない平らな一年」と発言、暗に「浮き沈みのない平らな水面」の〝明けの海〟を連想させていた。

そればかりか、最悪の三行半（みくだりはん）が6度の2023年の状況とは、動きのないまるで〝死体〟の様相で、案の定、日本列島自体も「地圧」が消えることで「湯量」「間欠泉」が消え始め、「地熱」も消え「温泉」の熱湯が冷める状態は、人間の「血圧」「体温」がなくなる〝臨終（りんじゅう）〟の状態となる。

これを仏教用語で「六道」といい、生前の行いが死後を決める「六道の辻」が口を開く姿が、2023年の日本列島となる。

その〝辻〟が「諏訪湖」で、日本列島を東西に割く「中央構造線」と、南北に割く「糸魚川―静岡構造線（フォッサマグナ）」が交わる「諏訪湖」で、「明けの海」が連続5回起きた意味は途方もなく大きい。

２０２３年1月22日（旧暦正月）の月も、西暦１０３０年以降で最も地球に接近した「巨大暗黒月（新月）」で、２０２３年の「卯（う）＝兎（うさぎ）も、太陽の「陽」に対する「陰」の月に人を引き込む暗黒兎の「癸卯（みずのと）」である。

1月14日～15日に行われた「筒粥神事」だが、旧暦では「寅年」に行われたことを忘れてはならない……それが何かというと、日本人が迎春を祝う1月1日（新暦）の上がりを競う「双六（すごろく）」も、陰陽道では「主五六（すごろく）」と呼び、振るサイコロも「斎五六（さいころ）」の〝五六合わせ（語呂合わせ）〟である。

「筒粥神事」の6度の三行半により主から断たれる２０２３年は「死」を意味し、当然、御神渡りなき（神から断たれる）明けの海も五六合わせから5回でなければならない……

日本では昔からヒトの体内を「五」「六」の〝五六合わせ（語呂合わせ）〟で「五臓六腑」と呼ぶが、元は古代中国の「秦」を発祥とする考えで、後の前漢時代の中国最古の医学書『黄帝内経（こうていだいけい）』につながっていく。

「五臓」を肝臓、心臓、脾臓、肺臓、腎臓とし、「六腑」を胆嚢、小腸、胃、大腸、膀胱、三焦(さんしょう)としたが、三焦だけは「西洋医学」にない概念で、ヒトガタを横隔膜と腹膜で3段階に分け、「上焦」「中焦」「下焦」にし、膵臓を含むその他をまとめ「三焦」とした。

その他を一緒に無理に「五」「六」に合わせたのは、日本海(東海)に浮かぶ瀛州(エイシュウ)の日本を意味する始皇帝(嬴政)のシンクタンク集団の秦人が、「五芒星」「六芒星」ありきで、ヒトガタの「アダムカドモン」を基本概念とし、「5+6」の「11」でヤハウェの民「ヤ・ゥマト(大和民族)」を表したからである。

真のイスラエルはヤフェト系(白人種)から出ておらず、セム系(黄色人種)のアブラハム直系のモンゴロイド「大和民族」が『旧約聖書』『新約聖書』を編纂、「契約の聖櫃アーク:本神輿」と「ユダヤの三種の神器(十戒石板:合わせ鏡2枚の八咫鏡(ヤタノカガミ)/一夜で桜科アーモンドの枝が伸び花が咲いたアロンの杖:一日で草と蔓が巻き付いた草薙剣(クサナギノツルギ)/マナの壺:肉壺の胎児の形の八尺瓊勾玉(ヤサカニノマガタマ))」を日本列島に隠し、神殿職の「レビ族」の末裔の南朝系天皇家が、幕末に北朝系と入れ替わり管理している。

日本列島に上陸した徐福は始皇帝の同族「嬴(エイ)」の姓を持つヤ・ゥマトの方士(ほうし)で、「道教」から「物部神道(古神道)」を興した「北朝イスラエル王国」の失われたイスラエル10支族＋レビを2回に分けて引き連れたが、西アジアには「南朝系ユダ王国」の2支族＋レビが残った。

その彼らも、イエス・キリスト磔刑後にローマに亡ぼされ、中央アジアを経て極東日本を目指した。

ヒト型はカッバーラの「命の木（生命の樹）」の象徴で、構造は「三魔方陣」の3×3升で、横升が胴体と左右の腕で「三柱（父：天之御中主神（アメノミナカヌシノカミ）・子：高御産巣日神（タカミムスビノカミ）・聖霊：神産巣日神（カミムスビノカミ））」、縦升が三位階の「至高世界（日の栄光）・中高世界（月の栄光）・下層世界（星の栄光）」で、上焦、中焦、下焦で「三焦」を表した。

五と六の「五芒星」と「六芒星」は、大和民族の故郷イスラエルのユダヤ教の教会「シナゴーグ」の遺跡にあり、その門を見れば、右に「五芒星」、左に「六芒星」が穿（うが）たれ、両方合わせて「五六合わせ」になっている。

ヤハウェの民の末裔が住む「極東イスラエル」の日本では、「警察署・消防署」を隣り合わせに置き、警察署のマーク「旭日章（きょくじつしょう）」は五角形（五芒星）の「朝日影（あさひかげ）」で桜の代紋として知られる。

他方の「消防署」のマーク「消防章」は六角形（六芒星）で、雪の結晶から創られたとするが、物部神道の要である「籠神社（このじんじゃ）」（京都府丹後）の境内に、社殿に向かって右に五芒星の黄色い看板があり、その前に「元戎（モトエビス）神社」の祠が鎮座し、社殿左に六角形の甲羅の亀に乗った「倭宿禰（ヤマトノスクネ）」の像があり、恵比寿に対する大黒（大国主（オオクニヌシノ）命（ミコト））を表している。

（故）海部光彦宮司が語った「当方の神は隠岐と行き来しておられます」の通り、「出雲大社」の海上に浮かぶ磐座（いわくら）の「隠岐」は、西側の「島前（どうぜん）」と東側の「島後（どうご）」で成り、島前が横倒しの「六角形」に収まり、島後が縦向きの「五角形」に収まる。

さらに、西の偶数「六」で陰（女）を示す島は、中央に「ホド」の湾がある雌島となり、東の奇数「五」を陽（男）を示す島後は、地球深部のマントル柱「男性自身」が海面に露出する雄島で、双方陰陽合体の「五六合わせ」の陰陽道で成っている。

特に、島後の北側に「蠟燭（ロウソク）島（岩柱）」の「天御柱（アメノミハシラ）」があり、伊邪那岐命（イザナギノミコト）と伊邪那美命（イザナミノミコト）が降りた「淤能碁呂志摩（オノゴロシマ）」は〝オノゴロ〟のゴロで「五六」を示している。

その隠岐の特徴は地下に巨大な瓢簞型の淡水湖（地底湖）があることで、日本で唯一水が限りなく噴き出す島だったが、日本列島が臨終を迎えるや、「国生み神話」の「心臓」の隠岐も水が止まり、日本列島が一時死んだことになった。

これにより２０２３年は、ほとんどの村人（国民）が「巨旦」となって死ぬことになるが、僅かな数の「蘇民」だけが生き残る疫病預言の「蘇民将来」が達成される。

「蘇民将来」が隠岐発祥であることから、ビル・ゲイツ製母型の「遺伝子操作ゲノム溶液」を21世紀型最新ゲノムワクチンと安易に信じて接種した1億463万人の骸が、日本中に累々と重なる「2023年最悪の三分五厘（三行半）：浮き沈みのない平らな一年」の始まりの謎が解ける……

final battlefield ㉒

皇祖神「天照大神」は本当は男神ヤハウェ、なぜ女神となったのか⁉

日本の国史の『記紀』は、「天照大神」を女神としているとされるが、具体的に女神と記された箇所はほとんどなく、その神名にしても『日本書紀』では〝日神〟あるいは〝大日靈貴（オオヒルメムチ）〟と云うだけで、誕生説も本文と異伝の3パターンも存在している。

たとえば『日本書紀』は、「大日靈貴」は「伊邪那岐命（イザナギノミコト）」と「伊邪那美命（イザナミノミコト）」が産んだとされ、『古事記』の「伊邪那岐命」の左目から生まれたとは異なり、その他「伊邪那岐命」が「白銅鏡」を以って「大日靈尊（オオヒルメ）」を生み出した説話もある。

その中で最も知られた『古事記』の記述は、国産みを無事に済ませた「伊邪那岐命」と「伊邪那美命」は、最後に火の神「火之迦具土神」を産んだことで、陰部に大火傷を負った「伊邪那美命」は亡くなってしまう。

「伊邪那岐命」は大切な妻を死に至らしめた「火之迦具土神」を刀で殺してしまうが、火の神とは火玉の太陽、つまり「天照大神」そのもので、この記述から「天照大神」は幼児と同じ罪のない状態で理不尽に殺された暗示になっている。

その後、「伊邪那岐命」は死後の黄泉国に妻を慕って下りるが、あまりに変わり果てた妻の姿を、開けてはならない扉を開けたために驚愕してしまう。

八百万の神々が「天照大神」の〝御魂分け（分け御魂）〟なら、「天照大神」は岩戸に御隠れ（亡くなった）になった後、黄泉に下ることがこの箇所で象徴され、黄泉に下る伊邪那岐命と同神となり、穢れを受けた妻が怒って追いかけて来るのを振り切り、岩戸を再び閉じたことは、死から舞い戻ったことを意味し、岩戸を塞いだ意味は二度と死ぬことがない黄泉帰り、つまり蘇ったことになる。

その時、「伊邪那岐命」は自ら封じた岩戸越に、死の象徴と化した「伊邪那美命」に縁切りを述べる意味は、二度と死なない〝復活体〟を得た宣言になる。

「記紀神話」では、「天照大神」が二度と御隠れにならぬよう、忌部の祖の「天太玉命」が、洞窟の前で〝卜占〟を執り行い、榊に大きな勾玉をぶら下げる楮で編み白木綿となし、麻で織った青木綿で鏡を取り付け、太玉串を振ったとある。

さらに、岩戸から戻った天照大神が二度と御隠れにならぬよう、注連縄（しめなわ）を張って岩戸を閉じたとある。

黄泉国から戻った「伊邪那岐命」は、聖なる水辺で死者に触れた穢れを洗い清めるため、筑紫の日向の橘の小門の阿波岐原（アハキハラ）で禊（みそぎ）を行うが、これは「天照大神」が自ら進んで禊（みそぎ）を受けることを意味する。

その場所は、ヤ・ゥマトの約束の地イスラエルならヨルダン川となるが、雑知識で言えば、東京の秋葉原を何故正式な「アキバハラ」ではなく「アキハバラ」と言うか、おそらく聖域への呼び名に遠慮したからかもしれない。

「伊邪那岐命」が体を清めた際、様々な神々が生まれ出るが、八百万の神々を生んだ「天照大神」と男神の「伊邪那岐命」が被って来る。

最後に、左目から「天照大御神」が、右目から「月読命（ツクヨミノミコト）」が、鼻から「須佐之男命（スサノオノミコト）」が生まれ出るが、これを〝三貴子（ミハシラノウズノミコ）〟と呼ぶ。

が、古来から「貴子」は〝男〟にしか使わない名称のため、必然的に「天照大神」は男神となる。

なのになぜ「天照大神」が女神になるかというと、左目を洗った際に生まれたので

「陰」で「女」となる……が、妙なことに「陽」の最高の太陽神とされ、一方の右目を洗った際に生まれ出た「月読命」は「陽」の男神であるにもかかわらず、夜を司る「陰」の月神となり、陰陽逆転する仕掛けが施されている。

これは、鼻から生まれた「須佐之男命」で如実となり、鼻には左右に穴が二つあり〝陰陽一対〟を「須佐之男命」が示すことで、女神の「天照大神」が男神とする橋渡しを「須佐之男命」が果たしていることになる……二つの鼻の穴は鼻孔で一つだからだ。

平安期の『江家次第(ごうけしだい)』は「伊勢神宮」に奉納する「天照大神」の装束一式が男衣装と言及され、江戸期の「伊勢外宮」の『度会延経(わたらいのぶつね)』も「之ヲ見レバ、天照大神ハ実ハ男神ノコト明ラカナリ」と記されている。

極めつけは、京都の「祇園祭(ぎおんさい)」に出る丹波の「元伊勢皇大神社(内宮)」の御神体で、日本のピラミッドの「岩戸山」の「岩戸山山鉾」に、「伊邪那岐命」と「手力男命(タヂカラオノミコト)」以外に、山鉾の中に鳥居に留まる鶏の背後の垂れ幕に、男神の「天照大神」が鎮座している。

京都府京都市下京区新町通仏光寺下るの岩戸山町には、「眉目秀麗の美男子で白蜀江花菱綾織袴で浅沓を穿く。直径12センチ程の円鏡を頸にかけ笏を持つ」の札があり、

「祇園祭」を主催する「八坂神社」もそのことを許可していることになる。

古史古伝の『秀真伝』も〝アマテル〟の男神と記し、后に「向津姫」あるいは「瀬織津姫」が居るとされ、それは岩戸の前で踊った「天宇受賣命」の別名で、「猿田毘古神」の妻となったとあるため、「猿田毘古神＝天照大神」となり八百万への御魂分けが垣間見える。

「廣田神社」（兵庫県西宮市大社町）に祀られる「天照大神荒魂」は、別名「撞賢木厳之御魂天疎向津媛命」とされるが、「撞賢木厳御魂天疎向津姫命神社」（奈良県桜井市大福）について、奈良県史は「撞賢木厳之御魂」と「天疎向津姫命」の男女二柱と伝える。

古来、和魂が「天照大神」、荒魂を「須佐之男命」と分けるため、女神の「天照大神荒魂」は男神の「須佐之男」となり、同時に霊神の頃は〝荒魂の須佐之男命〟の「古神道（ユダヤ教）」で、受体した神が天照大神の「神道（原始キリスト教）」に区分けするも、どちらも同神で男神あることに変わりはない。

final battlefield ㉓

アルザルのUFOが守ったのか!? 軍事衛星から全ての航空機の操縦権をハイジャックできる中で、天皇皇后両陛下を乗せた政府専用機の奇跡!!

イギリス王室のエリザベス女王が亡くなった後、2022年9月20日にイギリス王室と関係が深い天皇皇后両陛下が「国葬」に参加するため、政府専用機で羽田空港から飛び立った。

ロスチャイルドが支配するイギリスは、エリザベス女王の「国葬」に参列する各国首脳と王室に対し、自国の政府専用機の使用を全面禁止させる中、ロックフェラーが支配するアメリカ製「ボーイング777」に搭乗する天皇陛下の政府専用機をOKにした。

日本のマスゴミは「天皇家とイギリス王室との長年の関係」と胸を張ったが、飛鳥昭雄は、ピンポイントで陛下が搭乗するボーイング機を落とす策とみていた。

そのためのテストは、2022年3月21日、中国東方航空MU5735便の「ボーイング737」を軍事衛星でハイジャック、昆明と広州の間を飛行中に高度9000

メートルまで一気に急上昇させ、その後、垂直落下させ乗員乗客132人を即死させた。

「NTSB（アメリカ運輸安全委員会）」の元調査官で「ボーイング737」の操縦経験があるベンジャミン・バーマンは、他のジェット旅客機と同様、通常なら急降下しないよう設計されているため、極めて異例な機能不全が起きたとしか思えないと語っている。

最近のボーング旅客機の全ての操縦席の真下に、CIAが開発した「半導体チップ」が仕掛けられており、軍事衛星から特殊な暗号電波を送るだけで操縦権をハイジャックできる。

軍事衛星を介してアメリカ国内からリモートコントロールが可能で、それと同じ方法が「9・11同時多発テロ」の「WTC／World Trade Center（世界貿易センタービル）」への突入（ペンタゴン突入は巡航ミサイル）に使われた。

この「半導体チップ」は墜落の衝撃で発火して粉々に吹き飛ぶために証拠が残らず、ブラックボックスの「FDR（フライトデータレコーダー）」「CVR（コックピットボイスレコーダー）」でも突き止められない。

2014年3月8日、マレーシア航空370の「ボーイング777」も同じ方法でハイジャックされ、中国の北京を目指す途中で操縦権が乗っ取られ、無線もシャットダウンしたままインド洋まで運ばれ、後尾から海面に叩き付けられ乗客２２７人と乗員12人が死亡している。

東京の「アメリカ大使館（極東ＣＩＡ本部）」は、「統一教会」の協力で通名を使う在日国会議員が支配する自民党と、韓国の新大統領の尹錫悦（ユンソンニョル）に命じ、天皇徳仁（なるひと）陛下を「未来志向の日韓関係」の象徴の「国賓」として迎えさせる段取りだった。

それがプーチン大統領の予想に反した「ウクライナ侵攻」（２０２２年2月24日）で御破算になり、「女性宮家設立」のために計画した李氏朝鮮の（故）安倍晋三へ最大派閥の「清和会」の移譲や、アメリカで待機する秋篠宮の眞子と小室（Ｋｉｍ）圭は、天皇陛下と入れ替わるタイミングを逸し、次のタイミングを待つことになる。

２０２２年9月20日、台風14号が通過した日本に、エリザベス女王の「国葬」から戻る天皇皇后両陛下が、東京の「羽田空港」に夜間無事に到着されたが、夕方到着予定が大幅に遅れている。

20日の夕方には暴風域はなくなり、機体が風に多少煽られても上下に揺れる程度で、「羽田空港」も着陸に問題はないとし、日本政府専用機の到着を待つ状態だった。

東京の「アメリカ大使館（極東ＣＩＡ本部）」のスファラディー系ユダヤ系のラー

ム・イスラエル・エマヌエル大使が、今回のチャンスを利用しないはずはなく、もし墜落しなかった場合、ＣＩＡにとって〝事故〟を含む何かが起きたことになる。

両陛下が登場した「ボーイング７７７－３００ＥＲ型」の東京～ロンドン往復の経路は、ロシア上空を迂回する経路で飛行、黒海、中央アジアを飛行する「南回り経路」なら1万１９００キロ、太平洋、北米アラスカ、カナダ北極圏、グリーンランドを飛行する「北回り経路」なら1万２８００キロで、どちらの機体に乗りどちらのコースをとるかは極秘になっている。

その後、飛鳥昭雄宛に不思議な画像が届けられ、開封すると、そこに天皇皇后両陛下が乗る政府専用機が雲海の上を飛行する写真が入っていて、２機のアメリカ空軍機の内の1機が撮影したことを示す詳細な軍事データが添付されていた。

問題は、天皇皇后両陛下の日本政府専用機の上を巨大な影が覆っていることで、その超弩級物体は暗黒プラズマの靄に包まれていても、葉巻型の母船「マザーシップ」であることは容易に想像できる。

このことから分かることは、日本の政府専用機に仕掛けられたＣＩＡ製のチップを、アルザル（シャンバラ）の超弩級飛行物体が焼き切ったことだ。

この写真は、『月刊ムー／２０２３年6月号』の「付録漫画」で公開したが、皇室と関わるため、添付データの詳細は一切記載していない。

final battlefield ㉔ ゴアの『不都合な真実』で始まった！「CO_2排出権は詐欺」「SDGsはカルト」なのに推進する在日自民党が大和民族を滅ぼす!?

２０１５年9月25日、「国連総会」で「ＳＤＧｓ／Sustainable Development Goals」という「持続可能な開発目標」が標語とともに採択された。

これは、２０３０年までに世界各国が達成すべき「国際社会統一理念」で、地球環境を守る持続可能な開発目標として、17項目が選ばれた。

なぜ今、「ＳＤＧｓ」が必要かというと、地球は２０３０年を境に環境バランスが一気に崩れ、その後は回復せずに、金星の摂氏４６０度の灼熱地獄の世界を目指すからだとされた。

アカデミズムは、地球の隣で公転する「金星」が灼熱なのは、太陽に近いことと、大気のほとんどが二酸化炭素（CO_2）を主成分とするからで、かつて存在した海も瞬く間に蒸発したとし、一刻も早く二酸化炭素を排出させない「エコ社会」を実現しないと、地球の全生命が死滅するとした。

その根拠の一つは、ドイツの「ポツダム気候影響研究所」のヨハン・ロックストローム教授の唱える「ホットハウスアース理論」による科学的見解で、一刻も早く「脱炭素社会」に移行しないと、排出ガスで暴走する「地球温暖化」で、地球は許容できる「臨界点」を超え、二度と元に戻らないという。

つまり、２０３０年で地球の未来がほぼ決定し、今のまま何もしなければ、２０３０に「産業革命」以前の平均気温＋１・５度上昇が決定的になるという。

「地球温暖化」は、２００６年にアル・ゴアを主役にデイビス・グッゲンハイム監督が作った『不都合な真実（An Inconvenient Truth）』により世界中に知れ渡り、79回アカデミー賞長編ドキュメンタリー映画賞を獲得、ゴアは「地球環境保護」を訴えた功績で「ノーベル平和賞」を授与される。

１９９７年12月、第一次安倍政権で採決された「京都議定書」の排出権は、当時、最高度の省エネ化技術だった日本の達成目標が〝１９９０年比マイナス６パーセント〟となり、絞り切った雑巾をさらに絞って雑巾をズタズタにする目標値だった。

一方、日本発の「京都議定書」にほくそ笑んだのが、イギリスを含む欧米で、１９９０年を「基準年」にしたのは、その頃のＥＵの温室効果ガス排出量は最悪で、「旧ソ連崩壊」（1990〜91年）で起きる東ヨーロッパのEU統合で、社会主義の非効率国営工場が次々潰れることで、放っておいても目標の2012年までに15パーセント減るにもかかわらず、EUは7パーセント目標の楽々運営で済んだ。

さらにアメリカも、8パーセント削減を飲んだが、当時のアル・ゴア副大統領がそれを約束する前、既に「アメリカ上院」では全会一致で「議定書」に反対決議を下していた……つまり欧米だけが足枷（あしかせ）がなくなり、日本経済だけを叩き潰す欧米の策略で、安倍（朴）晋三はそれに喜んで手を貸したことになる。

2001年、案の定、アメリカは「京都議定書」から脱退表明し、理由は、7パーセントのCO_2の削減を実現した場合、アメリカは（当時）年間3970億ドル（約40兆円）もの経済損失が見込まれるからだった。

アカデミズムが唱える「地球温暖化」が起きる原因は、太陽から地球に降り注ぐ熱と、地球外に放出される熱の差から発生するとされる。

そのバランスが保たれている間、地球の温度変化は変わらないが、赤外線を封じ込める二酸化炭素の量が増えると、入り出のバランスが崩れ、熱は溜まるばかりとなり地球は温暖化する……これが「エコロジスト」の主張の根幹である。

が、ここで知っておかねばならないのは、CO_2が占める地球の大気の量は、全体のたった０・03パーセントに過ぎないことだ。

実はここに「ＳＤＧｓカルト」の嘘の種が隠れている!!

エコロジーの先駆者となったゴアは、「地球温暖化」の危機を世界に訴える裏で、CO_2の「排出権」を牛耳る取引市場の〝筆頭株主〟となり、空気を右から左へ動かすだけで巨万の富を得ている。

排出権とは、「京都議定書」の目標を達成できなかった企業が一定の金額を支払い、達成した企業からCO_2を排出する権利を購入する仕組みで、排出権は、ドルやユーロと同じ売り買いできる新たな世界通貨と目され、ＥＵが積極的に推し進めた詐欺システムだ。

その後、調子に乗ったＥＵは、空港に離着陸するジェット旅客機にもCO_2排出の費用を加算し、さらなる莫大な利益を上げ、その詐欺システムを恒常化させるのが「パリ協定」で、ＥＵにとって無限に金を生み出す〝金の卵〟となった!!

実は、この「エコ・ビジネス」の背後で暗躍するのがロスチャイルドとロックフェラーの「イルミナティ【後期】／Illuminati（Late-day）」で、無から有をつくって循環させることで、延々と利益を得る錬金術……つまり「エコビジネス」という名の〝経済カルト〟だった!!

数字は嘘をつかないが、詐欺師はその数字を使う……

アメリカのアル・ゴアによって本格的に動き始めた「地球環境問題」は、欧米にとって最大の〝ビッグビジネス〟のチャンスで、茹で蛙の日本人が考えるようなきれいごとではなく、「エコビジネス」も裏側を見れば、ドロドロした暗躍という泥で塗り固められている

アル・ゴアについてさらに過去を見ていくと、2000年の「アメリカ大統領選挙」は、民主党大統領候補のアル・ゴアVS共和党候補のジョージ・W・ブッシュの決戦で、史上稀な大接戦を演じていた。

その最後の決戦場となったフロリダ州は、ブッシュ一族のジェブ（John Ellis Bush）が州知事で、唯一のコンピュータ開票州だった。

この最後の決戦場で異常事態が起きたのは、ブッシュ陣営に雇われていた「ITストラテジスト社」のマイケル・コネルが、コンピュータ投票の端末をミラーサイトから介入したと公言した直後、不審死を遂げたことだ。

この事態にゴアが不信感を抱き、手作業による数え直しを要求するが、時間がないという理由で却下、結果的に「アメリカ合衆国最高裁判所（連邦最高裁）」が乗り出し、ジョージ・W・ブッシュの勝利に終わるが、この「ブッシュVSゴア事件」で国民

の不信感が一気に高まったが、ゴアにこれ以上騒がれたくないため、裏で相当高度な取引があったとされる。

（元）副大統領に褒美を与える以上、連邦国家的な褒美となるが、そんな物を与える権限を持つのは「ＤＳ／Deep State（影の政府）」のロックフェラーしかいない。

そこで「京都議定書」を利用する「地球温暖化ビジネス」で、ゴアに莫大な利益を与える密約が交わされ、そのためにゴアにハリウッドが全面協力し、それが２００６年に世界中で大ヒットした『不都合な真実』である。

さらにゴアへのご褒美は次々と上乗せされ、２００７年に「第79回アカデミー賞長編ドキュメンタリー映画賞」を受賞、同年、「ノーベル平和賞」も与えられた上、排出権で最大の株主にもなる道筋も用意された。

まるで国家補償付の「インサイダー」だが、これによりゴアは不動の億万長者となり、大統領となったブッシュ・ジュニアは、一度脱退した「京都議定書」を一石二鳥で再利用する方法を思いつく。

見かけ上「京都議定書」を守る姿勢で、排出ガスの元凶の石油を一切利用しない「バイオマスエタノール（バイオエタノール）構想」を立ち上げたのだ。

結果として、サトウキビ、トウモロコシ、大豆を大量投入したバイオエタノールが世界的大ブームとなり、当然の結果として、トウモロコシ、大豆、小麦等の穀物量が不足、穀物価格が世界的に吊り上がり、アメリカは日本などから濡れ手に粟の莫大な利益を上げることになる。

ブッシュ・ジュニアの「京都議定書」からの離脱劇と、後のドナルド・トランプ（元）大統領の「パリ協定」離脱劇は同じ線上にあり、アル・ゴアによって始まった「温暖化ビジネス」はアメリカの似非科学が発端で、安倍（李）政権下の日本は、アメリカとイギリスを含むEUに骨の髄まで利用し尽くされることになる。

『不都合な真実』で脚光を浴びたフィジー諸島の「ツバル」は、温暖化で溶けた両極の氷で海水面が上昇し、島全体が海の底に沈もうとしているというが嘘である。

満杯のコップに浮かんだ氷が溶けても水がコップから溢れ出ることはなく、それを言うなら、エコロジストが脅しに使う事態、北極の氷が全て消え失せ、ホッキョクグマが絶滅する事態になったとして（あり得ないが）、実は、今この時点でも反対側の南極の積雪量が増えており、氷床が成長している現実がある。

ツバルが沈んでいるのは、サンゴ礁を砕いた層の上に、小島にしては重い建物や飛行場や道路を造った結果、サンゴ礁の破片の隙間が圧縮され、その隙間の浸透圧で海水が入り込む結果、満潮で海水が通り抜け彼方此方で噴き出すだけだ。

過去60年間に撮影された航空写真と高解像度の衛星写真を使い、ツバルやキリバスなど太平洋諸島の27島の陸地表面の変化を調査した結果、表面積が縮小しているのは4島のみで、23島は同じか逆に面積が拡大していることが明らかになった。ツバルも9島のうち7島は3％以上も面積が拡大し、1島は沈降どころか30％も大きくなっている。

それでも「エコロジスト」は、ツバルが温暖化で海水が熱膨張して沈むというが、海面の高さは満潮時や干潮時でも変わり、地球の夜側に熱膨張はなく、南北両半球でも高さが変われば、季節でも変わり、熱帯性低気圧の通過でも変わり、海流の変化でも変わるため、ツバルだけの現象ではない。

しかし、ツバルのような貧しい島は、世界中から「地球温暖化」による援助金を貰える特権を放棄することはなく、ツバルは「温暖化ビジネス」を〝沈む島〟のイメージを通して支える構造が出来上がっている。

「地球温暖化」は寒冷化と一体というのが正しい科学で、地球は極端な温暖化には極端な寒冷化で対応し、極端な乾燥化に集中豪雨化でバランスをとり、むしろCO_2はその間のクッションの役割を果たしている。

日本最南端の「沖ノ鳥島」は、小笠原諸島の南端の絶海の環状サンゴ礁の小さな岩で、満潮時に環池内の「東小島」「北小島」を除いて海面下に没するため、緊急工事でそれぞれの岩を囲む工事が行われたに過ぎない。

「ＳＤＧｓ」は、「エコロジー」を基本に「京都会議」「パリ協定」という嘘の上で成り立つシステムで、「国連」の下でさらに複雑化して巨大化している!!

「地球温暖化」で世界が乾燥化し、ゴビ砂漠やサハラ砂漠などが拡大、雨も降らずに森林火災が続発する理由の多くは、CO_2が犯人ではなく森林の乱開発である!!

その最も典型的なケースが、世界最大のアマゾン河流域のジャングル開発による焦土化と伐採で、1分毎にサッカーコートの1・5倍の面積が焼かれる現実は尋常ではない。

アマゾン流域は世界最大の熱帯雨林の宝庫で、大気中の酸素の約20％を供給しているというが、最新データから、アマゾン河上空に膨大な水蒸気の大河が流れていることが判明、それを「アマゾンの空中大河」という。

広大な熱帯雨林は地球規模の気候に影響を与えており、実際、アマゾン河の上空数千メートルを流れる「水蒸気の帯」は、地球の〝気候安定装置〟として機能しているらしく、その大半をジャングルの植物が担っている。

この大自然の安定メカニズムは、ジャングルの葉一枚が惑星全体の気候に影響を与えているとされ、全体的に「空中大河」の水量は、アマゾン河の水量より多い水分（水蒸気）の層で満たされ、地球規模の気流として世界に広がっているとされる。

この水蒸気の大河は赤道を越え、これまでの「気象学」では有り得ない水蒸気の流れをもたらし、それをブラジル政府が経済最優先で大伐採する結果、世界の乾燥化と森林火災を多発させている。

ということは、CO_2を「地球温暖化」最大の犯人にする「ＳＤＧｓ」は基本的なところで間違っていることが見えてくる。

さらに言えば、大気中の酸素の約20％をアマゾン河のジャングルが供給しているとするのも実は怪しい理論で、「植物がCO_2による地球温暖化」を防いでいるとして「エコロジー」のシンボルマークに若葉を使うのも実は間違いだ。

植物が太陽の光で「光合成（炭酸同化作用）」を行い、空気中のCO_2を吸収して酸素を排出することから、CO_2排出を抑える「エコビジネス」の象徴になっているが、太陽が沈んだ後、光合成ができない植物はどうしているかというと、酸素を吸っててCO_2を吐き出しており、昼間も僅かだが酸素を吸ってCO_2を出すため、収支的に±0か少しCO_2の方を多く吐き出しているのである。

ほとんどの植物は地球の温暖化を望んでおり、だから赤道付近に熱帯性の豊かなジャングルが広がっている。

つまり「エコビジネス」を中核とする「ＳＤＧｓ」は巧妙に創られた詐欺であり、それを信じて真正直に推進する人間は、本人が知らない間に「ＳＤＧｓカルト」の熱心な信者になっている。

「ＳＤＧｓ」という名称は、２０１５年9月の「国連サミット」で採択され、国連加盟１９３カ国が２０１６年から２０３０年の15年間で達成するために掲げた目標とされている。

が、実際に国連で「ＳＤＧｓ」という名称で採択されたわけではなく、正式名称は「Transforming Our World（我々の世界を変革する）」で、１９３カ国全ての国が「我々の世界を変革（Transform）する」に同意していたのだ!!

この「Transform／トランスフォーム（変革）」には巧妙な仕掛けがあり、似た言葉の「Change（チェンジ）」は色や形が変わるレベルの変化だが、「Transform（トランスフォーム）」は〝原型をとどめないレベルでの変容〟を表している!!

その意味は、我々の世界の在りようを根本的に原形を留めなくする承認を、「国連」が与え、逆に言えば「ＳＤＧｓ」はトランスフォームを覆い隠すカモフラージュとなる!!

それこそが「イルミナティ【後期】／Illuminati（Late-day）」のロスチャイルドとロックフェラーが企てる「New World Order（新世界秩序）」への大激変「Great Reset（グレートリセット）」を「国連」が承認したことになる‼

同時にそれは〝国連が悪魔と契約した〟ことを象徴し、世界の財産・資金・資産のほとんどを支配する「Hyper Richistan（超リッチスタン）」の理想世界建設のため、さなぎが蝶に変わるように全く違う存在になることを意味する‼

それが「Great Reset（グレートリセット）」と抱き合わせの〝ＳＤＧｓ〟で、誰も反対できないきれいごとで飾られている‼

国連が承認した「ＳＤＧｓ／Sustainable Development Goals（持続可能な開発目標）」の正体は、何度も言うように「Transforming Our World（我々の世界を変革する）」で、「Transform（トランスフォーム）」は「原型をとどめないレベルでの変容」とされ、言葉を変えればロスチャイルドとロックフェラーの「イルミナティ【後期】／Illuminati（Late-day）」による「Great Reset（グレートリセット）」が本性である。

「ＳＤＧｓ」は17の目標と１６９のターゲットで構成され、その17の大きな目標の中身を見ると華々しい〝人類の理想〟が並ぶが、その多くはヤ・ゥマト（ヤハウェの民：ヘブライ語）が大和民族に書き残した『旧約聖書』『新約聖書』と反している。

一見すると欧米型キリスト教に即した記述が次々と並んでいるが、「聖書」と似てはいても別物で、〝似ている〟ということは〝違う〟ということだ!!

たとえば「ＳＤＧｓ」の17の目標の中の最初の6つの目標を見ると、貧困、飢餓、健康、教育、安全な水など、開発途上国の課題のように見える。

が、現実を見てみると、たとえば世界の経済大国第3位の日本の子供の6人〜7人に1人は貧困状態で、一日に学校給食しか食べられない子供が激増するが、原因は終戦後のダグラス・マッカーサー以降、「国連」の常任理事国のアメリカ軍部が日本に居座りつづけ、日本人を特権的治外法権的支配力で、経済から財政までコントロールしているからだ。

final battlefield ㉕

日本はアメリカ軍の永久統治国家！　インボイスは貧者を社会から抹殺する目的で、「日米合同委員会（Japan-US Join Committee）」からの命令!!

日本の正体は「国連」が認める独立国ではなく、国際法的に自衛権を放棄した〝半独立状態〟の、アメリカ軍の永久統治国に過ぎない。

この日本支配の根幹が実在する「日米合同委員会」で、「横田基地」から来るアメリカ軍関係者７人（内１人は大使館員）と、日本から「ＷＧＩＰ／War Guilt Information Program（戦争についての罪悪感を日本人の心に植え付けるための宣伝計画）」で特権を有する在日シンジケートの６人が、月隔週木曜日の午前11時から南麻布のアメリカ軍施設「ニューサンノー・アメリカ軍センター」で秘密会議を行っている。

アメリカ側メンバーは、「在日米軍司令部副司令官」をＴＯＰに「アメリカ大使館公使」がその下、他５人は「在日米軍司令部第五部長」「在日米陸軍司令部参謀長」「在日米空軍司令部副司令官」「在日米海兵隊基地司令部参謀長」他が参加する。

一方、在日特権階級（上級国民）から「外務省北米局長」「外務省北米参事官」「法務省大臣官房長」「財務省大臣官房審議官」「法務省大臣官房長」「農水省経営局長」らが参加する。

この構造は、「シビリアン・コントロール（文民統制）」から大きく逸脱しており、マッカーサーの占領時代と全く同じ占領軍の権力が日本国内法を超え、たとえ日本人を殺しても罪に問われないため、日本は独立国ではなくアメリカの「自治領」が妥当なところだ。

日本人が勘違いしているのは、大臣など閣僚が国家官僚よりも上と思うことで、閣僚は総理も含めて政治的には飾り物で、彼らは国会答弁で国家官僚のシナリオを棒読みする存在に過ぎず、霞が関のシナリオを法制化する道具に過ぎない。

重要なのは、この「日米合同委員会」に「財務省大臣官房審議官」が参加していることで、日本の財務を支配するのがアメリカ軍という構造である。

最近の最悪の制度とされる「インボイス制度」は、貧者が税金を払わなくても済む涙銭からも税を搾り取る悪法で、フリーランスの消費税免除を廃止し、温泉旅館を渡り歩く名も無き一人の演歌歌手の「おひねり」からも税を徴収し、インボイス登録しない貧者を社会から抹殺するシステムになっている。

こんな悪法を施行するのは「税務署」ではなく、アメリカ軍と「財務省大臣官房審議官」が決める「日米合同委員会」の場なのだ!!

結果、日本に勝手に居座る米占領軍に、毎年、日本は「おもいやり予算」を譲渡し続け、2021年の時点で向こう5年間、アメリカ軍に1兆円超が流出、アメリカ軍基地の維持費は別の会計になっている。

さらに、沖縄からグアム島への海兵隊9000人（家族を含む）の撤退費用28億ドル（約3746億8220万円）まで日本が支払うことが決定しており、これらを次々と国会の場で自民党と創価学会・公明党が法案化する構図ができあがっている。

それどころか、毎年、アメリカが「米国債」という名で日本から植民地税を搾取、日本は米国債保有額で世界一を続け、２０２２年12月の日本の米国債保有額は１兆７６３億ドル（約１６１兆２６２５億円）に及ぶが、実質的に米国債を売ることが許されないため「植民地税」となる。

さらに「日銀」が保有する、日本人の労働の産物の総量７３０トンの金塊も、そのほとんどがロックフェラーの持ち物である「ＦＲＢ／federal Reserve Bank of New Yor（ニューヨーク連邦準備銀行）」が半強制的に保管しているため、１ｇも日本人に戻ってこない。

そんな状態で、１兆円の増税でアメリカからミサイルを購入したりする半面、本来アメリカが援助するはずのフィリピンに毎年２０００憶円の援助を日本が開始、岸田政権はアフリカ諸国に4兆円、インドに5兆円と9・８兆円、Ｇ7に呼ばれて８・８兆円を払うことも、「日米合同委員会」でアメリカ軍と財務省で決定していく。

日本でさえこの有様の「ＳＤＧｓ」など、貧者のためとはトンデモナイ偽りで、最初から絵に描いた餅の背後にロスチャイルドとロックフェラーが口を開けている!!

final battlefield ㉖

「SDGs17項目」と「LGBTQ」彼らが推進する全ての出来事の裏に神への反逆が隠されている!!

「SDGs」の17項目は、一見すると自由と平等を謳い上げる「欧米キリスト教諸国」らしくまとめられているように見える。

が、たとえば「自由」には「責任」があり、「責任なき自由」は暴走を生み出し無法状態をつくり出すだけで、「平等」も、それだけなら「差別」は起きないだろうが「区別」も起きず、「区別」なき社会は大混乱を生み出すことになる。

たとえば「ジェンダー（gender）」は、生物学的な性別（sex）に対して、社会的・文化的につくられる性別だが、「SDGs」におけるジェンダーの平等は、持続可能な「2030アジェンダ」を構成する17のグローバル目標の一つで、その「ターゲット5・c」において〝ジェンダー平等〟の促進が謳われている。

女性の参政権が認められたのは20世紀に入ってからで、それまでは「女性は男性を支え従えばいい」とする風潮だった。

その後、アメリカで「ウーマンリブ運動」が起き、性暴力やセクハラに黙っていない「ＭｅＴｏｏ運動」など、女性の権利拡大が噴出しているが、ついに「結婚しない女性」「子供を産まない女性」が激増、少子化に悩む先進諸国共通の悩みになっている。

一方、イスラム諸国は基本的に「一夫多妻」が認められ、１人の男性は妻を４人まで持てるため、人口減少に陥る欧米キリスト教国を尻目に、イスラム諸国の人口増加が著しい。

そこで、ヤ・ゥマト（ヤハウェの民：ヘブライ語）が今の大和民族のために書き残した『聖書』を見ると、以下のように記されている。

「人が眠り込むと、あばら骨の一部を抜き取り、その跡を肉でふさがれた。そして、人から抜き取ったあばら骨で女を造り上げられた。主なる神が彼女を人のところへ連れて来られると、人は言った。『ついに、これこそわたしの骨の骨わたしの肉の肉。これをこそ、女（イシャー）と呼ぼう。まさに、男（イシュ）から取られたものだから。』」（『旧約聖書』「創世記」第2章21〜23節）

ここで「聖書」を振りかざし、女性に向かって「お前は男の助け手に過ぎない」

「男の体の一部だから男が女をどう扱おうと勝手だ」の根拠にする気は毛頭なく、むしろ自分の肉体を大事にするように、同じ肉体からつくられた女性を大切にせよという箇所である。

「神は女に向かって言われた。『お前のはらみの苦しみを大きなものにする。お前は、苦しんで子を産む。お前は男を求め、彼はお前を支配する。』」（『旧約聖書』「創世記」第3章16節）

「お前（男性）は、生涯食べ物を得ようと苦しむ。お前に対して土は茨とあざみを生えいでさせる。野の草を食べようとするお前に。お前は顔に汗を流してパンを得る。」（『旧約聖書』「創世記」第3章17～19節）

この両方の箇所は重要で、男女の体のつくりから明らかに男性は外で働き、女性の体は子を孕むようできているため、家を守る形にならざるを得ないが、男性は女性（＋生まれた子）の面倒をみる重大な責任が課せられる。

このことで今の日本の女性は、逆に生き地獄を味わうことになっている……欧米のやり方を真似て女性が社会進出した結果、日本では習慣的に家へ帰っても家事を女性が全て行わざるを得ない状況となり、男性の理解がないと恐ろしい事態が待っている。

そんな最悪の環境では、子供を産めない（産まない）ことにもなりかねず、女性の反発が起きることは必定で、最悪は離婚へと発展する。

「神は御自分にかたどって人を創造された。神にかたどって創造された。男と女に創造された。神は彼らを祝福して言われた。『産めよ、増えよ、地に満ちて地を従わせよ。』」（『旧約聖書』「創世記」第1章27～28節）

産むことができるのに、自らの楽しみを優先して子供を持たない女性は、この最初の戒めに従わないことになるため、以下の祝福は受けられなくなる。

「婦人は、信仰と愛と清さを保ち続け、貞淑であるならば、子を産むことによって救われます。」（『新約聖書』「テモテ第一の手紙」第2章15節）

このあたりになると、産まない権利を主張する欧米化した日本女性の反発する声が聞こえそうだが、特別な問題がない限り、ヤ・ゥマトなら産むべきとしか言えない。

結婚もしないし、子も産まない女性が進むのは男性と同じ社会で生きることだが、その多くはキャリアウーマンとして多忙を極めるため、自分の面倒を見る〝妻〟を持ちたいと思いはじめ、体と性が異なるセクシャリティ「トランスジェンダー」に傾倒するケースが多くあり……結婚しない女性は男性化し、月経が終わるとますますそうなっていく。

「LGBTQ（性的マイノリティ）」はLesbian（レズビアン＝女性同性愛者）、Gay（ゲイ＝男性同性愛者）、Bisexual（バイセクシャル＝両性愛者）、Transgender（トランスジェンダー＝心と体の性が異なる人）、Queer／Questioning（クィアまたはクエスチョニング＝性的指向・性自認が定まらない人）について「聖書」は以下のように記している。

「女と寝るように男と寝てはならない。それはいとうべきことである。」（『旧約聖書』「レビ記」18章22節）

「それで、神は彼らを恥ずべき情欲にまかせられました。女は自然の関係を自然にもとるものに変え、同じく男も、女との自然の関係を捨てて、互いに情欲を燃やし、男どうしで恥ずべきことを行い、その迷った行いの当然の報いを身に受けています。」（『新約聖書』「ローマ信徒への手紙」第1章26〜27節）

関係ないという人は以下のヤ・ゥマトの預言を知っておく方がいい。

「正しくない者が神の国を受け継げないことを、知らないのですか。思い違いをしてはいけない。みだらな者、偶像を礼拝する者、姦通する者、男娼、男色をする者、泥棒、強欲な者、酒におぼれる者、人を悪く言う者、人の物を奪う者は、決して神の国を受け継ぐことができません。」（『新約聖書』「コリントの信徒への手紙」第6章9〜10節）

基本的に『聖書』は男性を通して語られるので、女性同士も同じことになる。
「ＬＧＢＴＱ」は同性婚をしても、その関係はこの世で終わり、永遠の来世では永久に孤独で生きることになる……これは絶対神ヤハウェが「性と肉体を入れ間違うことはない!!」ことを意味し、トランスジェンダーは一過性の性的混乱を故意に引きずり、性が入れ替わったと勝手に思い込んでいるだけとなる。
※現時点ではまだ「ＳＤＧｓ」に「ＬＧＢＴＱ」は含まれていない。

final battlefield ㉗ 天皇を守る神一厘の生贄!?　割れた殺生石のそばで猪８頭が死んだ謎！　２０２３年卯年は「五六合わせ」神罰の年!?

もはや忘れ去られた感があるが……２０２３年は全ての面で歴史年代最悪の年になる「五六合わせ」の年になる可能性がある!!

そう警告するのは飛鳥昭雄だけでなく、最悪の２０２３年を様々なところが発信している。

アメリカでは、２０２３年に歴史的巨大粉飾決算国の中国が、ついに経済破綻することが予想されている。

「ゼロコロナ政策失敗」「不動産市況のバブル崩壊」「輸出の減速」「人民元の下落」「隠れ債務２０００兆円」「デフォルト（債務不履行）危機」「若者層失業率46・５％」の七重苦に直面する中国は、アメリカ、ＥＵ、日本などの景気減速の波に耐えられず、中国の成長エンジンは機能停止に陥るとする。

ここに、プーチン大統領によるウクライナへの核攻撃が起きた場合、世界は精神的大打撃を受け景気が一気に後退、一方のロシアは自立が証明されほとんど無傷、アメリカの老害バイデンに従った日本を含む欧米先進国の景気だけが致命的となる。

それを見たプーチン大統領が、(旧)ワルシャワ条約機構の国々を取り返すため、EUをターゲットに「第三次世界大戦」を勃発させたら最後、西側経済は総崩れになり、世界経済の崩壊に中国も巻き込まれるため、習近平に残された「台湾侵攻」へのリミットは、プーチン大統領の核使用により一気に狭まってくる。

「危機管理」の鉄則は最悪の事態を想定することで、飛鳥昭雄も最悪の分析だけでなく、アメリカの軍専門家の多くが、２０２３年に「第三次世界大戦」への導火線に火がつくと予測、２０２３年は近年最大の尋常な年ではないことが彼方此方から示されているのである。

特に日本は、「尖閣諸島」を含む「第1列島線」支配における「中国人民解放軍」と「自衛隊」の核兵器を含む戦闘が起きることにより、日本列島が中国とアメリカの代理戦場になる〝ウクライナ化〟の可能性も示唆され、中国と裏でつながる「北朝鮮」「ロシア」からも核ミサイルが列島中に着弾する危険性もないとは言えない。

さらに日本では「南海トラフ地震」が、２０２３年を含め、いつ起きても全く不思議ではない状態が続き、東京直下型地震も富士山噴火も連動する可能性がある。

飛鳥昭雄はここ数年ほど「諏訪大社：下社春宮」の「筒粥神事」を追い続け、カッバーラ（カバラ）を総動員して追跡、その都度多くの究明をしてきた。

ところが、結果として真夏の「逃げ水」のように、近づく度に追いつけず、とうとう最終段階まで来てしまった……それが「五六合わせ」の２０２３年である!!

なぜ２０２３年かというと、くどいようだが「筒粥神事」で最悪の〝三分五厘〟の意味は、主（あるじ）から絶たれる〝三行半（みくだりはん）〟のことで、その三分五厘が２０２３年にも示され、結果的に２０１８年から続けて今年で連続６回目に達した。

一方、諏訪湖が凍ることで起きる「御神渡り（おみわたり）」が起きないことが、２０１９年から始まり連続20、21、22年と続き、２０２３年も起きなかったことから連続５回に達した。

これで「筒粥神事」の三分五厘の連続６回と、諏訪湖の「御神渡り」なしが連続５回で、２０２３年は〝五六合わせの年〟となった!!

いやいや、確か昨年は〝三分六厘〟だったはずの声が聞こえてきそうだが、２０２２年の「筒粥神事」の三分六厘は、良き出来事まで我慢した場合の条件付きだったはずで、最後の〝神一厘〟が起きた場合の実質三分五厘だったはずである。

では、２０２２年の最後に何が起きたかだが、不可思議な事件が起きていた。

２０２２年3月5日、栃木県那須町那須岳にある「九尾の狐」が化けたとされる「殺生石」が突然割れ、同年12月7日、割れた「殺生石」の周囲で、「猪」８頭が死んでいるのが発見された。

天皇家を守護する和気清麻呂（わけのきよまろ）の守護獣「猪」が８頭も死んだのは不吉以外の何物でもないが、いずれも「猪」は「硫化水素」「亜硫酸ガス」を吸い込んだ結果とされた。が、問題は、丑寅（うしとら）の寅年（２０２２年）最後の月に事態が起き、それが８頭という〝韻〟を踏んでいたことで、８頭の「猪」は、８ツの♡型の「猪目（いのめ）」を示唆、猪目８ツで天皇家の「十六菊花紋」を暗示するため、８頭の猪の死は天皇徳仁（なるひと）陛下に何らかの異常が起きたことを、身をもって守ったことになる。

最も考えられるのは、韓国の新大統領就任祝いで、「日韓未来志向」を盾に「国賓」として陛下を招待する暗殺計画が、プーチン大統領の「ウクライナ侵攻」で不可能になり、政府専用機を落とすことが難しくなった結果、東京の「アメリカ大使館（極東ＣＩＡ本部）」のエマニュエル大使の指示で決行された〝何か〟が失敗に終わったということかもしれないが、後に語る「等価交換」が成ったことの象徴かもしれない。

さらに言えば、２０２３年はゲマトリア（数秘術）から「２＋０＋２＋３」の聖数「７」で、５〜６〜７が連続して並び、最悪を示唆するのが「５＋６＋７」の「18」で、そこから「１＋８」の米国「９（この世の最大数）」が登場、その米国に盲従し、欧米に染まり切った日本人への「18」の三本柱「６６６」に対する、神罰が日本列島に襲い掛かる仕掛けができたことを意味する!!

日本は九州から伊豆にかけて「南海トラフ地震」勃発、東京の真下が破断する「東京直下型地震」勃発、北海道南部から千葉県の「日本海溝地震」勃発、北海道北部から千島列島にかけた「千島海溝地震」勃発が全て連動する「日本大震災」が起きる「五六合わせ」になる仕掛けが完成した年かもしれない!!

いや、能登半島を含む日本海側も無事ではすまない!!

２０２２年12月７日に起きた、割れた「殺生石」の周囲で「猪」８頭が死んだ謎から、８頭の「猪」を８ツの♡型の「猪目（いのめ）」を並べた「十六菊花紋」とし、天皇入れ替えを下種から守った和気清麻呂の「随身」「神使」が猪だったことは偶然ではないだろう。

ところが、実はこの年、天皇徳仁（なるひと）陛下にとって獅子身中の虫で、アメリカの命令で陛下を「ボーイング機」に乗せて墜落死させた後、緊急事態宣言を発布して「女性宮家設立」を強行採決し、秋篠宮の長女の眞子を皇籍復帰させると同時に、在日の小室（ｋ・ｉ・ｍ）圭を天皇にするよう、秋篠宮の皇位辞退と譲位で企てていた、李氏朝鮮の末裔の安倍（李）晋三が、２０２２年7月8日、大和の地の奈良で暗殺されこの世を去っていたのだ!!

8頭の猪の死は、天皇徳仁陛下を身を挺して守った「神一厘」の生贄だったと思われる。

一方、諏訪湖の湖が凍って上社の「建御名方神」が、下社の妻の「八坂刀売神」のもとに通う「御神渡り」が全くない事態が、２０１９〜23年で連続5回に達し、これで「筒粥神事の三分五厘」の六と、「御神渡りなし」の五の「五六合わせ」が、２０２３年でできあがり、諏訪湖に封印されている巨大な龍神「建御名方命」が出てくる準備が整った。

何をもって整ったかというと、２０２２年は諏訪の「二社四宮」に四本柱が立つ「御柱の儀式」が行われ、巨大なモミの木が大型車で運ばれた後、「二社四宮」に陰陽二匹の龍神の首が各々八本立った!!

これは「八岐大蛇」を意味し、夫の「建御名方命」は西の「出雲大社」に、「神無月」をもっても帰還が許されず、東に向かって走るしかない。

一方の妻の「八坂刀売命」の八本首は、妻で陰なので西に走ることが許される!!

建御名方命は出雲の「須佐之男命（スサノオノミコト）」の息子とされるが、実は二神は同神で、大和に国を譲った出雲の「大国主命（オオクニヌシノミコト）」とも同神であり、さらに「大国」の〝ダイコク〟を介して「大黒様」とも同神である。

「須佐之男命」は〝雷神〟であるとともに、「黄泉（よみ）」の地下を治める「荒魂（あらたま）」の〝大地震〟の神で、別名を「艮（ウシトラ）の金神（コンジン）」といい、「艮（ウシトラ）＝丑寅」の「丑（牛）年：2021年」「寅（虎）年：2022年」で整い、「大国主命」と関わる因幡の「兎（うさぎ）」の「卯（兎）年：2023年」が続いた!!

その2023年は、只の卯年ではない「癸卯（みずのとう）」で、〝始まりと終わり〟の意味を持ち、さらに「癸（みずのと）」は〝水の陰〟で「巨大津波」を示唆し、実際、「須佐之男命」は〝海神〟でもあり、龍神の「八岐大蛇」も海から首を出す!!

ではなぜ、2023年に日本規模の「日本大震災」が勃発する仕掛けが整ったかというと、「八岐大蛇」が「八州」を示唆していて、八州とは「日本国」の異称だからである!!

さらに、「須佐之男命」といえば「牛頭天王（ゴズテンノウ）」の〝蘇民将来（そみんしょうらい）〟の預言が控え、村人（日本人）のほとんどが神を忘れた「巨旦（こたん）」として滅ぼされ、僅かな「蘇民」だけが命を助けられる預言が待っているからだ。

final battlefield
㉘

カバリスト藤原定家が『小倉百人一首』に仕掛けた10次魔方陣とは⁉ ゲマトリアからトンデモない預言が飛び出す‼

今まで飛鳥昭雄が追求した『小倉百人一首』が、途中で棚上げになっていたが、ようやく藤原定家（ふじわらのていか）の仕掛けた預言の秘密が解けた‼

「冷泉家（れいぜいけ）」「京極家」「二条家」を経て「古今伝授」を残したカバリストの藤原定家の数字の仕掛けを、和歌研究家の太田明氏が『小倉百人一首』にある規則性と法則性が構造的に隠されている事実を数学で数値的に証明した。

それは10×10＝100の升目に「歌番号」が法則的に配置される「10次魔方陣」で、特殊配置で編纂した藤原定家の仕組んだ高等数学が隠され、〝百人百首〟の歌集にもかかわらず〝百人一首〟と呼ぶ謎、100人のはずが99人（1人が別名で2題の和歌がある仕掛け）まで迫ったが、数字で追及した太田氏はそこまでだった。

そこで飛鳥昭雄は、当時の陰陽師が用いた漢波羅（かんばら）、つまりユダヤの「カッバーラ

（カバラ）」を用い、１００人のはずが99人の謎を「九十九王子」の八咫烏と解き「熊野信仰」が加わるとし、三本足ならぬ「三羽烏」を『小倉百人一首』で捜したところ、既に太田氏が、それとは気づかず「喚子鳥」「百千鳥」「稲負鳥」の〝三鳥〟を見つけていた。

当時の和歌詠みの天才は藤原定家で、鬼才は後鳥羽上皇（後鳥羽院）とされ、ともに協力して『小倉百人一首』成立に尽力したが、後鳥羽上皇は「神聖政治」を復活させようと、鎌倉幕府の北条義時に対して討伐の兵を挙げる「承久の乱」（１２２１年）で捕らえられ、出雲沖の「隠岐」へ遠島され、その地で崩御した。

後鳥羽上皇に協力した順徳上皇も「佐渡島」に流され、関与していない土御門上皇も「土佐国」に流されたため〝三上皇〟全てが「流罪」となり、皇子の雅成親王も「但馬国」へ、頼仁親王も「備前国」へ、在位3か月の4歳の「懐成親王（仲恭天皇）」まで北条氏に廃される事態に、一気に「鎌倉幕府」の武家支配体制が確立する。

藤原定家は、その「後鳥上皇」「順徳上皇」の和歌を『小倉百人一首』に組み込み、さらに「保元の乱」（１１５６年）を起こし「讃岐」へ配流された「崇徳上皇」とともに10×10の「10次魔方陣」で「L字配置」の仕掛けをした。

「L字型」は、「伏見稲荷大社」（京都市伏見区）の狐が口に咥える「鍵」で、「雁木造り」の頑丈な「L字型」とも共通し、カッバーラ的には「曲尺」を表し、聖徳太子象にある「曲尺」で〝呪詛〟の韻を踏んでいる。

後鳥羽上皇は、天皇家の表紋「五七の桐紋」を、裏紋「十六菊花紋」に変えた天皇として知られ、「剣」に執着したのは、源平の合戦の「壇ノ浦」で、箱から海に落ちた「草薙剣（くさなぎのつるぎ）」が欠けた状態で即位したためとされるが、「熱田神宮」（名古屋市熱田区）に分祀されたために使えなかったのだ。

怨霊と化した「後鳥羽上皇・崇徳上皇・順徳上皇」らを、藤原定家は『小倉百人一首』の「10次魔方陣」に組み込み、曲尺の「L字型」に三人を歌番号で配置して呪詛を仕掛けた。

その内の崇徳院は「日本国の大魔縁となり、皇を取って民とし民を皇となさん」「この経を魔道に回向（えこう）す」と血で記し、生きたまま天狗となり棺桶から血が溢れ出したと伝えられる。

「魔」とは〝隠〟の隠語の「鬼」と同様に〝神界〟の意味で、闇の邪神は「悪魔」であり「邪鬼」「悪鬼」と表す。

崇徳院は皇祖神（天照大神）に自らの血で訴え、結果として平安京で「延暦寺」の強訴が起き、「安元の大火」で焼き尽くされ、「鹿ケ谷」で陰謀が連発、「白河院」や忠通に近い人物らが次々と命を落としたため、あわてた「後白河上皇」は怨霊の魂を鎮めようと「保元の宣命」を破却、「保元の乱」の戦場の春日河原に「崇徳院廟（粟田宮）」を鎮座させる。

その後、「後醍醐天皇」が、後鳥羽上皇と同じ「隠岐」へ流されるが、忠臣の助けで無事に「隠岐」を脱出、京都に舞い戻るが、足利尊氏の裏切りに遭い、「南朝」を興すが崩御し、レビ族の血縁と無縁の支族が「北朝」の帝となり、徳川幕府の末まで続くことになる。

その後、倒幕のドサクサで孝明帝と皇太子が伊藤博文と岩倉具視に暗殺され、毛利に匿われていた後醍醐天皇の末裔が、皇太子と入れ替わった明治天皇が「南朝正当論」を発布、皇居に南朝の楠木正成像を配し、崇徳院の御霊を京都に帰還させて「白峯神宮」を創建、昭和天皇も「崇徳天皇陵」で「式年祭」を施行して血統が戻ったことを報告した。

「隠岐」を介して後鳥羽上皇と関わる後醍醐天皇の動向が、2022年に起きる大変な出来事の示唆になっていたが、それ以外にも二つの重大な出来事が「ゲマトリア（数秘術）」で預言されていた!!

final battlefield 29

隠岐、安倍晴明、冷泉家地下の「開かずの蔵」など『小倉百人一首』はやはりトンデモない預言だった!!

日本古来の「神聖政治」に戻そうとした後鳥羽上皇が捕らえられ「隠岐」に配流された後、同じ目的で乱を起こした南朝の後醍醐天皇も「隠岐」に流された。

しかし、1333年の閏2月24日（新暦：3月18日）、忠臣だった千種忠顕や島民らの助けで、深夜、島前の御所を抜け出し「知夫里島」から脱出することに成功する。

その後、船は日本海を渡り伯耆国の名和の港（鳥取県西伯郡名和町）に到着、待っていた名和長年が後醍醐天皇を担いで砂浜に降ろし、「船上山」（鳥取県東伯郡琴浦町）の頂上まで案内した。

和歌の達人でカバリストだった藤原定家の末裔が、藤原北家御子左流嫡流の「冷泉家」（京都市上京区）で、筆者がその一族の女性と都内で会った折、「冷泉家の一部は明治天皇に付き従い東京に移り、姓名も2度ばかり変えております」と話してくれた。

考えてみれば、明治以降の皇族の歌詠み会で知られる「歌御会」「歌会始」は、準備を含め「冷泉家」の一族が東京にいなければ成り立たないはずで、明治に廃された「陰陽寮」も同様、表向き下野した陰陽師（漢波羅）の多くは、「宮城（皇居）」かその周辺に移り住んだはずである。

そうでなければ都内の国有鉄道を「太極図」の形に配置し、「東京駅」も3×3の「三次魔方陣」の型にして皇居（本殿）に対する「拝殿」とし、和気清麻呂と楠木正成の〝文武二忠臣〟の像を「結界」として皇居に仕掛け、「国会議事堂」に階段状ピラミッドを置き、正面入り口内の「中央広間」にL字配置に、板垣退助、大隈重信、伊藤博文の銅像の三本柱を建てる真似はしない。

後に語るが、古都廃止の「遷都」ではなく、両京制の「奠都」にしたことで、最後の天皇陛下（ラストエンペラー）が京都に帰還する仕掛けを置いたことも陰陽師がいる証拠である。

日本最後の天皇陛下の預言は、大陰陽師の安倍晴明と花山天皇が仕掛けた後の「伯家神道」にあり、ラストエンペラーの帰還を京都で待つ「冷泉家」に至っては、地上ではなく地下の「開かずの蔵（庫）」を天皇帰還まで守り続けるのが御役目である。

地下蔵に封印されているのは、今上天皇（天皇徳仁陛下）の先祖のモーセが、メンフェスの宮殿に住むラムセスII世と直接対決する前、腹違いの兄アロンとともに、大洪水前の預言者エノクが建てたギザの丘の「三大ピラミッド」の神殿で落ち合い、大ピラミッドの秘密の部屋に隠された大洪水以前のエノク語（アダム後）で書かれた「聖典」など多数にのぼる。

エノク語もアダム語も「古代ヘブライ語」で、「ノアの大洪水」後は、ヤ・ウマトの祖のセムが継承し、アブラハムへと受け継がれていく。

「冷泉家」の地下の「開かずの蔵」で最も重要なのは、『旧約聖書』『新約聖書』の失われた聖典を含む原典で、最後の天皇陛下が地下蔵を開封するのを待ち続けている。

その「冷泉家」の祖が『小倉百人一首』を編纂した藤原定家で、いよいよ藤原定家が仕掛けた謎解きに入るが、最初の一つは以前も公開した「10次魔方陣」の各々一列10升の和「505」を、方陣4辺の和「505×4＝2020」とし、〝百人百首〟を百人一首にした不可解な「1」を加えた「2021年」となる。

次に、流布(るふ)された3人の天皇の『小倉百人一首』の歌番号、「77番：崇徳院」「99番：後鳥羽院」「100番：順徳院」を「10次魔方陣」にL字配置すると、2021年の「77＋99＋100＝276日目」の10月3日が出てきて、旧暦に変換すると「11月7日」が顔を見せる。

ゲマトリアはあくまで数字のみに特化した数秘術で、最も基本の「三魔方陣」を見れば分かるが、3×3構造の、どの縦横斜めの数字の和でも「7・5・3」の和と同じ「15」になるが、一度でも使った数字を消して使わない総数では「ゲマトリア」は働かない。

同じことは新暦と旧暦にもいえ、「ゲマトリア」で重要なのはあくまで〝数字〟だけにあり、逆にアカデミズムの数学者には『小倉百人一首』の謎が解けない仕掛けになっている。

『小倉百人一首』が示す2021年に特化すれば、その11月7日は、ラストエンペラーの京都帰還に大きな影響を与える人物が世を去っている。

日本の国史『古事記』『日本書紀』の仕掛けを、「多次元同時存在の法則」として暴露公開した元伊勢（本伊勢）「籠神社」（京都府丹波）の海部光彦名誉宮司が2021年11月7日に逝去していたのである!!

その『小倉百人一首』に、更なる次のゲマトリアの仕掛けが施されていた!!

先ほどの「10次魔方陣」の「505×4＝2020」に、〝百人百首〟を百人一首にした表記が絶妙で、実は同じ作者が別名で入っている仕掛けが隠されていた。

その仕掛けを最初に見つけたのが、江戸時代の真言宗の僧侶で国学者だった契沖だが、カバリストではなかったためそこまでだった。

藤原定家は、故意に同じ人物で2つの歌を別名で仕掛け、それは『小倉百人一首』の22番の歌番号の文屋康秀（ふんやのやすひで）の歌が、別の「清輔本」「元永本」では、息子の文屋朝康（あさやす）とあり、この文屋朝康の歌は『小倉百人一首』の37番に取り上げられていた。

この同一人物の仕掛けで、「505×4＝2020」から「1」を引く必要があり、「2020－1＝2019」が読み解け、同時に百人から一人を引いた「99」から、「八咫烏」の熊野の「九十九王子」を導き出せ、最後の「一」で「百」が完成する漢字の「百」から「一」を消した「白」が出てくる仕掛けになっている!!

つまり、2019年は最後の〝白い鳥〟が出てくる年を表し、それが全人類最後の年号「令和」が発布される年と一致し、人類最後の酉（トリ）を飾る鳥、「白い鳩」の天皇徳仁陛下の登場となる!!

その仕掛けは、一つの記述で二つを表す手法が使われ、大和民族の『旧約聖書』に以下のように記されている。

「四十日たって、ノアは自分が造った箱舟の窓を開き、烏（からす）を放した。烏は飛び立ったが、地上の水が乾くのを待って、出たり入ったりした……（中略）……ノアは鳩を彼のもとから放して、地の面から水がひいたかどうかを確かめようとした……（中略）……鳩はくちばしにオリーブの葉をくわえていた。ノアは水が地上からひいたことを

知った。」(『旧約聖書』「創世記」第8章6〜11節)

烏と鳩が「ark／箱」を介して時間差で登場する仕掛けも藤原定家は心得ており、その二羽の鳥を「伊勢神宮」の「鶏(二羽鳥)」とし、「籠神社」(京都府丹後)が「籠目歌」で「かごめかごめ、籠の中の鳥は、いついつ出やる」の預言唄として拡散させた。

つまり、二番目の解き明かしは、最後の「酉」となる天皇徳仁陛下が、令和元年(2021年)にラストエンペラーとして現れる仕掛けを置いたのである。そして……

final battlefield ㉚

『小倉百人一首』“読み知らず”“猿丸大夫”“名無しの権平”の仕掛けは超高度ゲマトリア!!

京都を監視していた鎌倉幕府の「六波羅(探題)」は、元弘3年：正慶2年(1333年)5月(旧暦)、丹波に進軍していた幕府方の足利尊氏が、丹波篠村で「隠岐」を脱出した後醍醐天皇の出来事を知り、反鎌倉を宣言して京都の「六波羅」を攻撃、5月7日には南北二カ所の両探題は六波羅を脱出し、鎌倉の出先監視機関だった「六波羅探題」は壊滅した。

その後、後醍醐天皇が「平安京」に帰還したのが、元弘3年6月5日（新暦：１３３３年7月17日）だが、その前に、〝勝軍破敵〟の「呪詛」を京都の要で行っている。

１３３３年5月18日（旧暦）、後醍醐天皇は、陰陽師が平安京建設の北位置に定めた「船岡山」に入山、待っていた陰陽師らとともに頂上を目指した。

頂上には神聖な「磐座（いわくら）」があり、後醍醐天皇は「磐座」を前に難敵を滅ぼすための儀式を陰陽師らとともに行った。

これは「神聖政治」を貶めた「鎌倉幕府」を打ち倒す儀式で、結果として、入山した5月18日（旧暦）に新田義貞が大軍で鎌倉に攻め入り、5月22日（旧暦）、１５０年続いた鎌倉幕府は滅亡する。

その後、下山した後醍醐天皇は「平安京」に入るが、注目すべきは「隠岐」を脱出した直後に船上山（せんじょうさん）で詠んだ「忘れめや　よるべも波の　荒磯を　御船の上に　とめし心は」（『新葉和歌集』）である。

その意味は「決して忘れることはない。荒波が打ち寄せる磯辺で、船の上にいた私を助けてくれた日のことを。寄る辺もない私のことを、船上山で護ってくれたあの戦いのことを」である。

実は、「隠岐」を脱出した後醍醐天皇は、名和長年(なわながとし)とともに「船上山」に入山し、そこを仮御所とするや、大山寺が援軍に駆けつけ、長年の弟の信濃坊源盛も僧兵を率いて馳せ参じる中、長年は山頂の木々500本近くに軍旗を括りつけ、自軍が大軍であるかのように見せかけた。

一方、後醍醐天皇を逃す大失態を演じた「隠岐守護」の佐々木清高は、奪還に手勢を率いて海を渡り、幕府側の伯耆国(ほうきのくに)の小鴨氏や糟屋氏らも手勢を率いて「船上山の戦い」に挑んだ。

同年閏2月29日(旧暦)、鎌倉幕府軍は攻勢を仕掛けるが、指揮官の一人の佐々木昌綱が右目を矢で貫かれ戦死、搦手(からめて)側の佐々木定宗らが降伏、佐々木清高率いる本軍は「船上山」を攻め上がるが、突然の「暴風雨」が襲う中、長年軍の大攻勢で追い込まれ、次々と「船上山」の断崖絶壁から落下、入山1週間で蹴りが付いた。

その後、後醍醐天皇は「船上山」に「行宮」を設置、ここから討幕の綸旨(りんじ)を発し、後詰(ごづめ)で出雲国内にいた佐々木一族の富士名義綱(ふじなよしつな)、塩冶高貞(えんやたかさだ)が討幕側に寝返るなど幕府軍は混乱を極めた。

その「船上山」から京都の「船岡山」への入山は偶然ではなく、難敵打倒の「呪詛」が目的で「船岡山」へ入山したのが旧暦5月18日の新暦7月8日である。

『小倉百人一首』に戻るが、和歌の天才でカバリストだった藤原定家は、さらに不可解な仕掛けを施していた……〝読み人知らず〟である!!

これも太田明氏が見つけたことだが、本来、読み人知らずはそのまま〝作者不明〟のはずが、正体不明の「猿丸大夫」として『小倉百人一首』の歌番号5番に存在し、それ以外のどこにも「猿丸大夫」が詠んだ和歌は1作もなく、全くの正体不明で怪しい以外の何者でもない!!

そこで、藤原定家が『小倉百人一首』に仕掛けた、ユダヤの「ゲマトリア（数秘術）」による「10次魔方陣」の各々一列10升の和の「505」を、方陣4辺の和「505×4＝2020」とし、〝百人百首〟を百人一首にした不可解な「1」を加えた「2021年」に、「生命の樹（命の木）」のセフィラー（球）に、存在するが存在しない、存在しないが存在する「ダアト」のような「点睛」を加える。

「画竜点睛を欠く」のように、「物事の肝心な一点が抜けると全体が瓦解する」意味の「要石」が「点睛」で、いるがいない、いないがいるの「猿丸大夫」の登場である!!

前述の「百人百首」を「百人一首」にする仕掛け「2020＋1」に、居ないはずの名無しの歌が『小倉百人一首』にだけ存在する「＋1」を加えた「2022年」が顔を出す。

後醍醐天皇の平安京「船岡山」入山が新暦の7月8日で、2022年7月8日に、天皇家のどんな難敵が討たれたかを捜すと……安倍晋三暗殺が出てきた!!

2022年7月8日、李氏朝鮮の末裔の安倍（李）晋三が、奈良市の近鉄大和西大寺駅前で銃撃され、搬送先の「県立医科大学付属病院」で午後5時3分に死亡が確認された。

飛鳥昭雄は、過去何度も安倍晋三の正体を暴露してきたが、元々は李氏朝鮮の李垠（イウン）と梨本宮の方子（まさこ）の間にできた自民党の安倍（李）晋太郎の子で、李氏朝鮮の血と天皇家の血を持つことから、戦前、日本政府が長男の李晋（安倍晋太郎）を病死と偽り、半島からの暗殺を避けるため、山口県の名家の安倍家に実子にするよう押し付けた末裔である。

ところが、自分が産んだ子ではない赤ん坊を押し付けられた安倍寛の妻の静子は、数カ月後、赤ん坊を捨てて安倍寛と離婚している。

戦後日本を在日朝鮮人で支配したいアメリカは、ダグラス・マッカーサーが仕掛けた「WGIP／War Guilt Information Program（戦争についての罪悪感を日本人の心に植え付けるための宣伝計画）」を基軸に、次々と在日朝鮮人に「在日特権」「在日就職枠」「特別永住権」「通名制」を与え、戦勝国民として、マスゴミ、芸能界、政財界に送り込んでＴＯＰを入れ替え、「天皇制擁護」と「嫌韓」で国民を騙した安倍（李）晋三の時代に「コリアＪＡＰＡＮ」が99・9パーセント完成、最後の一厘が天皇徳仁（なるひと）陛下で、ボーイング社の政府専用機を墜落させる暗殺を、東京の「アメリカ大使館（極東ＣＩＡ本部）」と仕組んでいる最中に自分が暗殺されたのである。

犯人は、山上徹也容疑者とされるが、『小倉百人一首』はそれを〝猿丸大夫〟とし、正体不明の名無しの権平がいる示唆にもなっている。

final battlefield ㉛

鎌倉幕府崩壊の裏に『小倉百人一首』の預言が潜んでいた⁉ 岩手県二戸〝座敷童〟の緑風荘ともつながっている⁉

『小倉百人一首』を編纂した藤原定家は、「隠岐」に流された後鳥羽上皇と同時代の天才歌人で、同様に「隠岐」に島流しになる後醍醐天皇より１００年前の人間である。なのに何故、後醍醐天皇が後鳥羽上皇と同じ大望で鎌倉幕府に兵を起こし、尚且つ、捕らえられた後、ともに「隠岐」に流されるのかを知ったのか？

それはまるで時を越えた二人の天皇が、「隠岐」に流される仕掛けを『小倉百人一首』が仕掛けたかのようである。

その「隠岐」を後醍醐天皇は脱出し、その後、難敵を打つ呪詛を陰陽師らとともに平安京の「船岡山」で行う日まで、藤原定家が「隠岐」を介して『小倉百人一首』に仕掛けたことになる。

藤原定家は預言者なのか……その答えは、国史の『日本書紀』に「兼知未然（兼ねて未然に知ろしめる）」とある聖徳太子に限らず、YAP＋遺伝子を色濃く持つ大和民族にはカバリストや預言者が多数輩出され、『小倉百人一首』の藤原定家もその一人ということになる。

結果として、後鳥羽上皇に始まり、後醍醐天皇によって、難敵だった「鎌倉幕府」は崩壊するが、海岸線を一方に持つ鎌倉の地は難攻不落とされ、北の山岳地帯には幾つもの狭い「切通し」があり、敵の侵入を防ぐ一方、海側の海岸線も崖が続き侵入を不可能にした。

『太平記』には、１３３３年5月18日（旧暦）、新田義貞（にったよしさだ）率いる軍勢が、極楽寺口より幕府軍に攻撃を加え、21日に稲村ヶ崎海岸を海沿いに渡ろうとしたが、波打ち際は切り立つ崖と大きな石が邪魔し、僅かな道も狭小で馬も通れぬため、どうしても稲村ヶ崎を越えられなかったが、5月21日（旧暦）に太刀を海に投げ入れ祈願すると、忽ち潮が引いて大軍が稲村ヶ崎を渡れたとある。

一方、後醍醐天皇が「大内裏（だいだいり）」に入る前、「船岡山」に陰陽師とともに入山したのが5月18日（旧暦）とされ、この日に干潮を利用して新田義貞が大軍で鎌倉に攻め入り、5月22日（旧暦）に鎌倉幕府を滅ぼしたとする。

ここで問題が発生、後醍醐天皇側の伝承では新田義貞が稲村ヶ崎海岸を越えたのを5月18日（旧暦）とし、『太平記』は5月21日（旧暦）とすることだ。

そこで、近年の「天文計算」で稲村ヶ崎の潮が引いたのが5月18日と判明、『小倉百人一首』の凄さが再度垣間見えた思いがする。

余談かもしれないが、オカルト界で岩手県二戸（にのへ）市にある「緑風荘」といえば、遠野から大分離れた青森県との県境の老舗旅館で、昔から「座敷童（ざしきわらし）」が出ることで知られていた。

ところが、残念ながら２００９年10月４日の火災で焼失し、今は建て直されたが、以前は築３００年の南部曲がり屋の母屋に「枕の間」があり、そこに座敷童が棲みついているとされた。

「緑風荘」の一族は「五日市家」と呼び、現在（２０２３年10月）の家長は第27代・五日市洋氏だが、じつは洋氏は五日市家の婿養子で、祖先は陰陽師の家系とつながるらしく、五日市家の祖先と一緒に都から落ち延びてきたという。

なぜ平安京から岩手県の北まで落ち延びたかというと、祖先は南朝の後醍醐天皇に仕えた藤原氏で、金田一に移り住んだのは南北朝時代とされる。

祖先の万里小路藤原藤房は、後醍醐天皇の下で「恩賞方」を務めたが、貴族への恩賞が多い割りに武士への恩賞が少なすぎたため、足利尊氏を筆頭とする武家集団の怒りを招き、裏切りにあってしまう。

結果、後醍醐天皇は吉野に逃れ南朝を起こすが、やがて足利氏が興した北朝に呑み込まれ、「三種の神器」も奪われてしまう。（この時の三種の神器は鏡と剣と勾玉の形をしたレプリカ）

建武元年（１３３４年）、岩手の最北へ逃れた藤房は、五日市家を興し、五日市彦左衛門尉藤原朝臣万里小路繁春を名乗り、京都から南朝に属する貴族や陰陽師がつき従ったという。

それで分かったのは、地図上の緑風荘の配置が平安京と酷似し、東の青龍の位置に京都と似た山が連なり、東の龍脈を取り込むように仕掛け、南の朱雀には水である「馬渕川」の支流「長川」が流れ込んで「鴨川」に対応し、西の白虎には「桂川」と対応する「馬渕川」が流れ、両者はともに南西の位置でつながり、西へは盛岡へ続く旧道が走り、現在は八戸自動車道が貫通している。

「大内裏」と対応する位置に「緑風荘」が鎮座する〝ミニ京都〟のような配置で、おそらくこの位置を定めたのは、第27代目の先祖の陰陽師だったと思われる。

まさか、「緑風荘」の先祖が足利尊氏の後醍醐天皇への反乱を起こす切っ掛けを作った「恩賞方」だったとは、日本という国は今も神話の中にあるようだ!!

final battlefield
㉜

何かが始まる⁉ ロシアが核兵器をベラルーシに移転したその意図は⁉ 航空機はＣＩＡハイジャック用チップでいつでも墜落可能!!

降って湧いたように、突然、インドネシア政府から天皇徳仁(なるひと)陛下に、インドネシア訪問の依頼が日本政府に入ってきたため、6月17日〜23日にかけて天皇皇后両陛下のインドネシアの訪問が決まった。

インドネシアといえば、2023年5月10日〜11日にかけて、ラブアンバジョで「第42回：ASEAN首脳会議」が開催された国で、同年9月5日〜7日も、インドネシアのジャカルタで「第43回：ASEANサミット」が開催される。

「ＡＳＥＡＮ」は〝東南アジア諸国連合〟の略で、インドネシア、マレーシア、シンガポール、フィリピン、ラオス、カンボジア、タイ、ベトナム、ミャンマー、ブルネイの10カ国で構成されるが、5月の「ＡＳＥＡＮ」には、アメリカが中国を抑え込むため、インドネシアにハリス副大統領とブリンケン国務長官が積極的にＡＳＥＡＮを訪問していた。

アメリカは既に「ＡＳＥＡＮ・米国包括的戦略パートナーシップ」を立ち上げ、特にインドネシアと友好を深めていた、そんなインドネシアが何故、今、突然、天皇陛下の訪問を申し出たのか？

その仕掛けを見ると、地球の反対側で起きているロシアの「ウクライナ侵攻」と無縁ではない様で、一体どういうことかというと、ロシアの隣国でウクライナの北と国境を接するベラルーシへの核兵器移転が、２０２３年7月7日~8日で完了したことだ。

プーチン大統領は、それについて２０２３年3月下旬、ベラルーシに対し7月1日迄に戦術核兵器の貯蔵施設を建設すると語り、ロシアのショイグ国防相も、同年5月、「核兵器の管理と使用に関する決定権はロシア側に残る」とし、ベラルーシへの戦術核配備は「ＮＰＴ（核兵器不拡散条約）」に違反しないとした。

２０２３年6月、ベラルーシのルカシェンコ大統領は、ロシアから戦術核兵器の搬入が始まったことを明らかにし、その一部は、１９４５年にアメリカが広島と長崎に落とした原子爆弾の3倍の威力があることを明らかにした。

これは戦場でピンポイントで使う小型戦術核の規模ではなく、むしろウクライナの首都キエフや、港湾都市オデッサを地上から消すための、〝戦術核以上・戦略核未満〟の破壊力を持つ核兵器と見て間違いない。

一方、イスラエルでノアの箱舟「ａｒｋ」がアララト山系に漂着したことを祝う「シオン祭」が、２０２３年も7月1日から始まり1カ月を掛けて祝うが、最も重要なａｒｋ漂着の7月17日が見せ場になる。

アメリカのロックフェラーと、イギリスのロスチャイルドが狙うのは、手下でアシュケナジー系ユダヤ人のゼレンスキーをピエロに、「ウクライナ」を戦場にし続け、欧米の最新兵器でロシアを追い詰めることで、一刻も早くプーチン大統領に「戦術核兵器」を使わせたいと考えている。

それを導火線に「ＮＷＯ／New World Order（新世界秩序）」への「Great Reset（グレートリセット）」に邪魔なフランスやドイツのＥＵ諸国を、ロシアを使って消し去る「第三次世界大戦」を起こすには、今のままでは狡猾なプーチン大統領は乗ってこないため、イランとサウジアラビアが手を握った２０２３年の7月17日に、日本から「ユダヤの三種の神器」と「契約の聖櫃アーク」を奪い、三沢基地から軍輸送機でエルサレムへ運び、「第三神殿」を建設すれば全イスラム諸国が、友好国で核兵器を持つロシアと連合することになる。

そのため、アメリカがインドネシアのジョコ・ウィドド大統領を手なずけ、日本では「アメリカ大使館（極東ＣＩＡ本部）」のラーム・エマニュエル大使が自民党に命じ、瞬く間に天皇陛下のインドネシア訪問が決まった。

イギリスのロスチャイルドとアメリカのロックフェラーは、予想より早くプーチン大統領の「ウクライナ侵攻」（２０２２年2月24日）を開始したため、同年7月17日に決行するはずだった「第三神殿建設」が、韓国新大統領の祝賀に「国賓」として陛下を呼ぶ策略もろとも「ウクライナ侵攻」でできなくなり、２０２２年7月13日に大慌てでバイデン大統領がイスラエルに飛び、エルサレムの「第三神殿」の建設を延期させた。

一方、プーチン大統領も「第三神殿建設」をその日と先読みした２０２２年7月19日のイラン訪問が、肩透かしを食い、全イスラム諸国とロシアが手を組むのを待つことになる。

これで「イルミナティ【後期】／Illuminati（Late-day）」による「ＮＯＷ／New World Order（新世界秩序）」は一時棚上げになり、結果として「第三神殿」に不可欠なユダヤの「御神体（レガリア）」であるユダヤの「三種の神器」と「契約の箱」を日本から合法的に運び出す手順が狂い、頼みの綱だった安倍（李）晋三も、２０２２年７月８日に遊説先の奈良県で射殺されてしまう。

ユダヤの「三種の神器」と、それを運ぶ金色の箱「契約の聖櫃アーク」は「第三神殿」に不可欠なレガリアだ。

それを２０００年も世界の目から隠してきたのが天皇家で、「伊勢神宮（内宮）」に天照大神の御神体で合わせ鏡２枚の鏡石「八咫鏡／十戒石板」と、それを入れる本神輿の「御船（みふね）」、「伊勢神宮（下宮）」に女性器を象徴する壺（子宮）の胎児の姿の「八（や）尺瓊勾玉（さかにのまがたま）／マナの壺」、「熱田神宮」に草や木の枝が巻き付いた「草薙剣（くさなぎのつるぎ）／アロンの杖」が隠されている。

その天皇陛下が搭乗する日本政府専用機「ボーイング７７７－３００ＥＲ型」を今度こそインドネシア海上で落とせば、緊急事態宣言を在日自民党に発布させ、安倍（李）亡き後のフィクサー、在日の森喜朗が「女性宮家設立」を「旧宮家の賀陽家皇室復帰」と抱き合わせを条件に強行採決することになる。

すると、アメリカでこの日を首を長くして待っていた、在日の小室（Ｋｉｍ）圭と眞子が緊急帰国、秋篠宮が健康（アルコール中毒）を理由に皇位を辞退、息子の悠仁（ひさひと）親王が成人するまでの臨時天皇として、眞子と一緒に皇族になる金圭を臨時天皇に推挙、この朝鮮人の役目は、アメリカの命令通りイスラエルに「三種の神器」と「契約の箱」を返す詔（みことのり）を発布することだけだ!!

日本政府の専用機「ボーイング７７７－３００ＥＲ型」に仕掛けられた軍事衛星から操縦をハイジャックするチップは、先のエリザベス女王の国葬から戻る際、アルザル（アルツァアレト）から飛来した巨大ＵＦＯによって焼き切られたために使えない。

今回、宮内庁と日本政府のやり取りで、２０２３年５月４日、秋篠宮文仁親王と紀子王妃がイギリスのチャールズ国王の「戴冠式」に参列するため日本政府専用機で出発した。

今まで代替わりで皇太子待遇の皇嗣（こうし）になっても、天皇陛下が使う日本政府専用機を使わず、代替わり前と同様に民間機を使ってきたが、今回初めて日本政府専用機を使うことになった。

結果、２機ある「ボーイング７７７－３００ＥＲ型」で、ＣＩＡ製ハイジャック用チップが焼き切れた方に、順送りで再び天皇皇后両陛下が搭乗し、「イルミナティ

【後期】／Illuminati（Late-day）」は２０２３年７月17日のイスラエル「第３神殿」建設のための大きなチャンスを再び失う羽目になった。

final battlefield
㉝

神の遺伝子⁉　いつも奴隷の身分に落とされてきた大和民族がなぜか世界最長記録を一番多く持っているのはなぜか⁉

日本の歴史は世界から見たら異常で、２０００年以上も天皇家という王朝が続く中で、世界最古の企業が日本に３社あり、一つは５７８年創業の世界最古の企業「金剛組」、５８７年創業の生花の「池坊華道会」、７０５年創業の西山温泉「慶雲館」である。

そもそも世界中で創業１０００年超えの企業12社の内、９社が日本にあり、創業２００年以上の企業５６００社の３１００社が日本企業だ。

欧米を見れば分かるように、「新自由主義」を掲げて「グローバル資本主義」を突き進んだ欧米企業は、互いにＭ＆Ａの企業乗っ取りレースを繰り広げ、雨後の筍のように現れた「ベンチャー企業」も気づけば「ＧＡＦＡＭ（Google・Apple・Facebook・

Amazon・Microsoft)」に取り込まれて数年で姿を消していく。

古代から続いた「エジプト王朝」はクレオパトラ（ギリシア系）を最後に滅亡し、そのエジプトを滅ぼした（当時）世界最強の「ローマ帝国」も歴史の彼方へ消え失せ、オリエント一帯を征服した「アッシリア帝国」も消滅、「バビロニア帝国」も姿を消し、古代インドの「マウリア王朝」「クシャーナ王朝」も地図上に存在していない。

中国4000年の歴史も、蓋を開ければ歴代王朝が次々と滅亡、漢民族ではない「満州国王朝」の清も歴史の波に消され、ヨーロッパでも「古代ギリシア」は跡形もなく、世界の中軸国で、世界最大の覇権国となったアメリカでさえ、歴史はたった250年しかない。

そんな世界で、分かっているだけで2000年以上も続く王朝を維持する日本は、アングロ・サクソンの合理主義から見たら、絶対に存在してもさせてもならない国である。

とはいえ、国ではなく民族史で見た場合、「大和民族」ほど奴隷の身に何度も落ちた民族も珍しい。

最初は、ヨセフが奴隷として古代エジプトに売られた後、宰相まで上り詰めたが、独自の宗教と勤勉さを恐れたファラオにより、「イスラエル12支族」の全てが奴隷の身に落とされ、モーセの登場まで二百数十年を待たねばならなかった。

「出エジプト」を達成した後も、約束の地カナンでソロモンの時代に最盛期を迎えるが、王の死後国が分裂し、「北イスラエル王国」は「アッシリア帝国」の奴隷として連れ去られ、アッシリア滅亡後は「失われたイスラエル10支族」の本隊は地上にない地下世界「アルザル」へ移動、別動隊はステップロードから極東の日本列島へと移動した。

一方の「南ユダ王国」は「バビロニア帝国」に敗北した後、奴隷となって連れていかれ、その後、再びエルサレムに戻ってからも「ローマ帝国」の属州となり、アッシリア人とサマリア人の混血民族の王ヘロデに統治されるが、実態はローマの間接統治による準奴隷だった。

イエス・キリストの磔刑後、「ローマ帝国」に逆らい66〜73年に「ユダヤ戦争」を起こしたが、ウェスパシアヌス将軍により鎮圧、「ヘロデ神殿」の宝物は全て奪われ、ローマの「凱旋門」にその時の様子がレリーフに残される。

敗れた「南ユダ王国」の大和民族は、ローマに奴隷として連れていかれ、皇帝ネロの時代の「ローマ大火」で傷んだ都市を再建するのに苦役され、さらにネロの黄金宮殿跡に建設された巨大施設「コロッセオ」の建設にも働かされた。

その後も117～119年に「第二次ユダヤ戦争／バル・コクバの乱」を起こして完膚なきまでに打ちのめされ、民族は霧散し、一部は戦争前に逃れ、「絹の道」を経て日本列島に移り住んだ。

近年、「太平洋戦争」を起こした大和民族は、アジアとアフリカの植民地解放に貢献したが、原爆を落とされて敗北、以後はアメリカの奴隷と化し、傀儡（かいらい）で在日支配の自民党の言いなりになっている。

アダムから連綿と続く天皇家は、ノアを経て新世界へ渡り、セムからアブラハムを経てモーセに至った後、ダビデ、ソロモンを経て始皇帝と徐福を介し、兄アロンの直系が日本に渡り、弟モーセの直系が「月氏国」を経て神武天皇とともに日本に渡った。

その後の歴史は前述のように、天皇家の系譜は連綿と続き、ハムの一族で史上最悪の王ニムロドの直系であるロスチャイルドと、その傍系のロックフェラーは、ビル・ゲイツ製母型の遺伝子操作ゲノム溶液を大和民族全員に接種し、一気に民族浄化（ホロコースト）した上、最後に天皇家の血筋を終わらせようとしている。

世界中で「オレオレ詐欺」に引っ掛かるのは日本人ぐらいと言われるように、家族を出汁にされれば幾らでも騙される民族性は、日系ブラジル人も同様とされ、マッカーサーが言ったように、日本人のレベルは12歳程度かもしれないが、それは純朴の意味で頭が悪いわけではない。

我々大和民族の遺伝子には、同じアジア人より遥かに「抑制遺伝子」が多く、逆に外へ向かう「覚醒遺伝子」は白人に多いとされ、ドーパミン、ノルアドレナリンに溢れているが、大和民族は脳内の神経伝達物質のセロトニンが働いて、内向き志向が強くなるとされる。

だから白人は世界を支配した上に自然も征服したがり、逆に大和民族は島に籠って「鎖国」をしたり、「宗教」「芸術」「文化」の面で他を圧倒する優れた民族性を発揮することから、アブラハムの時に「神の遺伝子：ＹＡＰ＋」を受け取り、安定を最優先する人のいい民族になったといえる!!

final battlefield
34
東京に艮（うしとら）の巨大な龍が出てくる兆し？ 金龍山浅草寺の〝金龍〟は艮の金神!?　谷中巡りが危ない!?

何度も言うように、二社四宮の「諏訪大社」（長野県）には、「諏訪湖」を挟んだ南側の上社に男神の龍神「建御名方神（タケミナカタノカミ）」が鎮座し、北側の下社に妻の「八坂刀売神（ヤサカトメノカミ）」

がいて、八坂と同じ「八坂神社」（京都市）は「牛頭天王（ゴズテンノウ）」と関わる、ほとんどの日本人が死ぬ「蘇民将来（そみんしょうらい）」の預言が残されている。

牛頭天王は「須佐之男命（スサノオノミコト）」の別称で、八本首の龍「八岐大蛇（ヤマタノオロチ）」と関わるため、「八坂刀売神」も陰の龍神とされる。

その男神「タケミナカタノカミ」を祀る「諏訪大社上社本宮」の緯度が北緯35度で、東京の「浅草寺」の緯度も同じ北緯35度、その「浅草寺本堂」の天井に近代日本画の巨匠・川端龍子（かわばたりゅうし）の描いた「龍之図」が飾られていた。

「浅草寺」は先の大戦の空襲を含め、過去にも焼失したことから、1958年の本堂再建は耐火用に鉄筋コンクリートとチタンで行われ、その記念に合わせて描いた縦6・4メートル、横4・9メートルの〝龍神〟だった。

「龍神」の左右にある天女「天人之図」は堂本印象の作で、2021年に山本寛斎プロデュースによる修繕を終え、「龍之図」は2023年の秋に修繕予定だったが、2023年7月8日午前11時、和紙の部分が天井から突然破れるように剝がれてしまった!!

今年の雨と湿気と強風、コンクリートとの収縮比の違い、経年劣化などが原因と思われるが、見た目にはまるで「龍神」が天井を突き破って飛び出してきたように見える……。

既に何度も言っている通り、２０２３年は「丑（牛）年：２０２１年」「寅（虎）年：２０２２年」を終え、２０２３年1月22日（旧暦）から「卯（兎）年：２０２３年」が始まったが、今年の兎は「癸卯（みずのと）」で、暗黒の〝黒兎〟の年である。

２０１１年3月11日、平成の大災害となった「東日本大震災」が同じ兎年で、干支は「辛卯（かのとう）」で、別の読みは【しんぼう】で耐え忍ぶ「辛抱」に通じ、平成の元になった「地平天成」の意味「地平らかにして、天成る」が、２０２３年の「諏訪大社：下社春宮」の「筒粥神事」の最悪の三分五厘（三行半）の読み解き「浮き沈みのない平らな一年」と不気味な符合を示している。

さらに２０２３年は、１９２３年9月1日に東京を灰燼にした「関東大震災」のちょうど百年目に該当する!!

「辛卯（かのとう）」は「干支」の組み合わせの28番目で、「辛」は、今まで伏在した「陽の力」が矛盾と抑圧から一気に発現する意味で、「十干」の「辛」は陰の「金」、十二支の「卯（兎）」は陰の「木」で、対立・矛盾する二者が争う「相剋（そうこく）」関係から、「金」が「木」に勝つ「金剋木」となり、「五行五色」の中心の「金」が表に出て来る年となる。

金は「天皇」の意味もあるが、同時に「艮金神」の〝金〟で、兎と関わるため「大（オオ）

国主命」も顔を出し、別名の「須佐之男命」が出てくる年になる。

「須佐之男命」は大地の底の「黄泉」と関わるため「大地震」の荒魂の神とされ、同時に巨大津波を起こす「海」の支配者でもあり、「疫病」とも関わる神として怖れられている。

さらに別名の「牛頭天王」の名で「蘇民将来」の大罰を以って、日本人の３分の２を駆逐する金色の「八岐大蛇」をも象徴するため、接近した暗黒の新月で始まる２０２３年の「筒粥神事」を、浮き沈みのない平らな一年なら、どうして最悪の三分五厘（三行半）」で使えるのか!!

多くの日本人が預言にある「蘇民将来」の天罰で死に絶えたら、確かに動く者がほとんどない日本列島になる。

事実、「須佐之男命」は〝雷神〟であるとともに、「黄泉」の地下を治める「荒魂」の〝大地震〟の神で、別名を「艮の金神」と言い、「艮＝丑寅」の「丑（牛）年：２０２１年」「寅（虎）年：２０２２年」で整い、「大国主命」と関わる因幡の「兎」の「卯（兎）年：２０２３年」が２０２３年である!!

そして定められたとある時、「神無月（出雲では神有月）」になっても出雲に帰れない「艮の金神」が抜ける道は、西ではなく東となり、最も東の「鹿島・香取神宮」には地震を封じる「要石（かなめいし）」があるため、唯一抜け出る箇所は「東京」しかなく、そう思うと「浅草寺」の真の呼び名「金龍山浅草寺」の〝金龍〟が「艮の金神」の出現の前兆を表し、近くの「谷中（やなか）」に鎮座する「西日暮里諏訪神社」が気になってくる!!

が、それは都内に何カ所もある「諏訪神社」の一つに過ぎないが、東京が二社四宮の「諏訪大社」と地脈（龍脈）とつながっていることは間違いなく、どちらも同じ北緯35度にある。

そして、２０２４年が「艮の金神」と同じ〝辰（龍）年〟で、２０２５年は同神の「巳年」が待っている!!

飛鳥昭雄　あすか あきお

1950（昭和25）年大阪府生まれ。企業にてアニメーション、イラスト＆デザイン業務に携わるかたわら、漫画を描き、1982年漫画家として本格デビューする。

漫画作品として『恐竜の謎・完全解明』（小学館）等、作家として『失われた極東エルサレム「平安京」の謎』（学研）等多数。小説家として、千秋寺京介（せんしゅうじきょうすけ）の名で『怨霊記シリーズ』（徳間書店）等を発表。

現在、サイエンスエンターテイナーとして、TV、ラジオ、ゲームでも活動中。

SDGs洗脳奴隷〈日本人〉に食わせる餌
コオロギ（ゴキブリ近似種）のすべて

第一刷　2023年11月30日

著者　飛鳥昭雄

発行人　石井健資

発行所　株式会社ヒカルランド
〒162-0821　東京都新宿区津久戸町3-11　TH1ビル6F
電話　03-6265-0852　ファックス　03-6265-0853
http://www.hikaruland.co.jp　info@hikaruland.co.jp

振替　00180-8-496587

本文・カバー・製本　中央精版印刷株式会社

DTP　株式会社キャップス

編集担当　Takeco/utoi

ISBN978-4-86742-315-8

元氣屋イッテル
（神楽坂ヒカルランド みらくる：癒しと健康）
大好評営業中!!

宇宙の愛をカタチにする出版社　ヒカルランドがプロデュースしたヒーリングサロン、元氣屋イッテルは、宇宙の愛と癒しをカタチにしていくヒーリング☆エンターテインメントの殿堂を目指しています。カラダやココロ、魂が喜ぶ波動ヒーリングの逸品機器が、あなたの毎日をハピハピに！　AWG、音響チェアなどの他、期間限定でスペシャルなセッションも開催しています。まさに世界にここだけ、宇宙にここだけの場所。ソマチッドも観察でき、カラダの中の宇宙を体感できます！　専門のスタッフがあなたの好奇心に応え、ぴったりのセラピーをご案内します。セラピーをご希望の方は、ホームページからのご予約のほか、メールでinfo@hikarulandmarket.com、またはお電話で03-5579-8948へ、ご希望の施術内容、日時、お名前、お電話番号をお知らせくださいませ。あなたにキセキが起こる場所☆元氣屋イッテルで、みなさまをお待ちしております！

【在日（日本人名）】による 日本ステルス支配の構造
GHQが始めた究極の乗っ取り
著者：飛鳥昭雄
四六ソフト　本体 2,000円+税